TRIGGERHAPPY

Proza

Broodje gezond (1996)
Broodje halfom (2001)
Brood en spelen (2002)
Broodje springlevend (2003)
Elvistranen (2004)
FC Dood (2006)
Schiphol Blues (2009)
Scheveningse wolken (2009)
De Patatbalie (2010)
Up On The Hilton Roof (2011)
Diepere lagen (2011)

Poëzie

Genadebrood (1993)
Judaskus (1997)
De kootjesblues (2000)
Zand erover (2003)
Knekeltaal (2004)
Greatest Hits – Volume 1 (2004)
Fort Knox (2005)
McPain: Cadillac Boogie,
Anna's Hoeve,
Dracula's ontbijt (2007)
Signore Coconut (2007)
De Bril van Chabot (bloemlezing door Martin Bril, 2008)
Orkaan Betty (2008)
Club Fandango (2008)
Satans Kreek (2009)
Captain Zeep (2009)
Space Cowboy (2009)
Barricade Area (2009)
Greatest Hits 1 (tweede, vermeerderde druk 2009)
Greatest Hits 2 (2009)

Bart Chabot

TRIGGERHAPPY

ROMAN

2013

DE BEZIGE BIJ

AMSTERDAM

This book is a work of fiction. References to real people (living or dead),
events, establishments, organizations, or locales are intended only to provide
a sense of authenticity and are used fictitiously. All other characters, and all
incidents and dialogue, are drawn from the author's imagination and are not
to be construed as real.

Copyright © 2013 Bart Chabot
Omslagontwerp, fotografie en typografie Anton Corbijn
Uitvoering omslag DPS
Vormgeving binnenwerk Aard Bakker
Druk Bariet, Steenwijk
ISBN 978 90 234 7358 9
NUR 301

www.debezigebij.nl
www.bartchabot.nl

I shot a man in Reno
Just to watch him die

(Johnny Cash – 'Folsom Prison Blues', 1955)

Next Sunday, darlin', is my birthday
Do you care?

(Hank Williams, 1951)

1

De eerste avond stonden de sterren, en dat waren er nogal wat – duizenden zo zonder grotestadslicht – boven het
huis en de omringende bergen geparkeerd, zonder op te
schuiven of in te schikken. De hemel leek een kunstwerk,
alsof het doek was weggetrokken en de lucht zojuist ont-
huld. In Den Haag keek Frank zelden naar de sterren;
een enkele keer daargelaten, op kerstavond bijvoorbeeld,
of als Nicole en hij bezoek uitlieten. Naar de hemel turen
bewaarde je onbewust voor als je op vakantie was en nauwelijks iets omhanden had.

Later die avond kregen ze ruzie, moe als ze waren van
de lange reis naar de Haut-Languedoc en moe van wat ze
van thuis met zich meedroegen, onuitgesproken zaken;
en ten slotte vielen ze in slaap. Het met elkaar goedma-
ken zou tot de volgende dag moeten wachten.

De veldkrekels, forse exemplaren, die al vroeg in de middag met tjirpen begonnen, vulden de lucht en daarmee
de middag.

In de struiken rond het zwembad huisden de horzels, die tevoorschijn kwamen als je het water verliet en zich eenmaal in de nabijheid van een natte rug, schouder of dijbeen niet eenvoudig lieten wegbonjouren.

Tweemaal per week kwam een man die het zwembad bijhield het terrein van Villa Aurora op. Een man die zo vroeg en stilletjes arriveerde dat je hem niet hoorde. Dat hij was langs geweest, leidde Frank af uit het feit dat het terrasmeubilair was opgeruimd en het zwembadwater lichter blauw was.

Frank zou de schoonmaker niet één keer treffen, alsof deze hem ontweek; hoewel Frank een lichte slaper was die in Den Haag meestal van het minste gerucht wakker werd en dan beneden controleerde of alles in orde was – op de waakzaamheid van de hond had Frank nooit durven vertrouwen – en daarna stil in bed schoof om Nicole niet te wekken, zoals hij Juliette indertijd evenmin had gewekt tijdens zijn nachtelijke rondes.

De olijfbomen opzij van het huis waren fors gesnoeid en zouden voorlopig nauwelijks vruchten opleveren. Ze waren gekortwiekt omdat ze licht wegnamen van het terras bij het zwembad wanneer de zon van de berghelling naar beneden kroop en achter de olijfbomen verdween. Voortaan deed de zon een uurtje langer mee.

Er waren de bloeiende cactussen; en de paarse lavendelvelden in de vallei en tegen enkele berghellingen, velden die zo sterk geurden dat het leek of iemand met een spuitbus in de weer was geweest. De lucht zelf was blauw als het zwembadwater in de diepte eronder, maar dan zonder rimpels en kringen.

In de verte lagen de Pyreneeën; achter hun hoge toppen ontvouwde zich het Spaanse land. Er was de bergwind die plotseling kon opsteken en geen koelte bracht, want het was een warme wind die over de hoogvlakte ging.

Maar er was ook de wind die van zee kwam en aan het einde van de ochtend fris aanwakkerde, en deze koele wind herinnerde Nicole aan die andere zee, veertienhonderd kilometer verderop, waar haar kinderen woonden, anderhalve dag rijden hiervandaan.

Al met al hadden ze het naar hun zin, meende Frank, ook al zaten ze niet in Spanje, zoals Nicole als vakantiebestemming had geopperd, noch in Italië of Portugal.

Tegen elven parkeerde Frank voor de Intermarché in Lézignan en om halfeen reden ze terug. In Olonzac, het laatste grotere plaatsje in de buurt van hun vakantieverblijf, stelde Frank voor wat te drinken. De zon scheen zonder de zaak te overdrijven en de terrassen zaten vol, maar ze vonden een tafel.

'Wil je een wijntje?' vroeg Nicole.

'Straks misschien. Ik moet nog rijden, dus ik wacht wel tot we thuis zijn.'

'Het is van hier naar huis een kippeneindje,' zei Nicole. 'Daarbij, die Fransen om ons heen zitten allemaal aan de wijn en die laten hun auto echt niet staan, hoor.'

Ze vroeg de ober die de uitkomst van het beraad ongeduldig had afgewacht om een karaf witte wijn, die in een oogwenk op tafel stond.

'Kom lieverd,' zei Nicole, 'ontspan eens. We zijn op vakantie. Zelfs ik begin er zin in te krijgen.'

'Had je dat dan niet,' vroeg Frank, 'zin in vakantie?'

'Bij mij duurt het altijd even voordat ik ergens zin in heb, dat weet je toch?'

Nicole hief haar glas en tikte het glas van Frank aan. 'Maar als ik eenmaal zin heb...'

Frank pakte zijn glas en hield het omhoog. 'Daar drink ik op.'

Aan het einde van de tweede dag zag Frank het bliksemen boven de Pyreneeën; maar het onweer haalde Mont Céleste, de berg waarop Frank en Nicole verbleven, niet. De bergen stapten uit de regenwolken tevoorschijn, indrukwekkender dan ze zich eerder hadden voorgedaan, en leken iets te zijn gegroeid.

'Weet je,' zei Nicole toen ze 's avonds bij het zwembad zaten, 'ik vind het geweldig hier, een heerlijk huis, praktisch ingericht, alles doet het zowaar, alle apparatuur en geen kraan die druppelt of lekt en geen lamp die vervangen moet worden, dat maak je niet vaak mee in vakantiehuizen, en dan de ligging in de natuur... En toch, het klinkt misschien gek, maar ik zou het niet eens zo erg vinden om morgen terug te gaan naar Den Haag. Ik mis de zee.'

'Meen je dat nou?' vroeg Frank verbaasd. Maar in zijn hart verlangde ook hij soms naar de geur van de Noordzee die met grote regelmaat de Sportlaan aandeed.

'Begrijp me niet verkeerd,' zei Nicole, 'ik heb het naar mijn zin hier, daar-niet-van, maar als we overmorgen wakker werden in Den Haag zou ik dat niet eens zo erg vinden, wil je dat geloven?'

'Nee,' antwoordde Frank, 'daar kan ik me niets bij voorstellen, eerlijk gezegd. Ik begrijp werkelijk niet waar je het over hebt.'

'Als het je hier zo goed bevalt,' zei Nicole, 'waarom kun je dan geen seconde stilzitten? Is er iets dat je zo onrustig bent, zit je iets dwars?'

In de schaduw van de platanen bracht Frank veel van zijn tijd naast het zwembad door. Nicole deed de tuin. De eigenaar had met klem verzocht om de bloemen regelmatig water te geven, vooral de bloeiende oleanders, anders waren die vanwege de brandende zon binnen de kortste keren weg.

Later op de dag maakte Nicole iets eenvoudigs, want ze had geen zin om uitgebreid te koken en op hulp van Frank hoefde ze opnieuw niet te rekenen als ze hem zo bij het zwembad zag. Had hij zich ten tijde van zijn huwelijk met Juliette ook zo gedragen, of had hij toen vaker de handen uit de mouwen gestoken? Dat moest ze hem toch eens vragen, zonder dat hij haar vraag als een persoonlijke aanval zou uitleggen.

Hij zag er goed uit, vond ze. Bij zijn slapen werd zijn haar wat dunner, maar hij was nog altijd jeugdig en aantrekkelijk. Jammer dat ze tegenwoordig zo weinig samen deden.

Vroeger tennisten ze; maar áls Frank dat nog deed, tenniste hij met vaste tennisvrienden, en niet met haar.

Frank was lastiger in de omgang dan ze had verwacht.

Op een avond wandelden ze het weggetje af dat langs hun vakantiehuis omhoogliep en kwamen bij een splitsing. Links in het gras stond een roestbruin stalen kruis op een voetstuk, opzij ervan piekte een hoge houten paal; daar hing de kabel aan die het handjevol bungalows en villa's op Mont Céleste van elektriciteit voorzag.

'Het lijkt wel een graf,' zei Nicole. Ze wees naar de steen en het kruis.

'Dat is het ook.'

Een vogel wiekte boven de velden en landde in een van de bomen op de nabije heuvelrug.

'Daar hebben we het nooit over gehad,' zei Frank, 'over wat er moet gebeuren als een van ons komt te overlijden. Waar wil jij komen te liggen bijvoorbeeld, hier?'

'In deze verlatenheid?' reageerde Nicole. 'Alsjeblieft niet, zeg.'

'Ik wel,' zei Frank. 'Aan rust geen gebrek.' Zoals vaker vond Nicole het moeilijk uit te maken of Frank meende wat hij zei.

'Jij liever dan ik,' vervolgde Nicole. 'Ik zou hier niet dood aangetroffen willen worden. Nee, in Den Haag natuurlijk, daar wil ik begraven worden. Maar waar in Den Haag, tja, daar vraag je me wat.'

En wilden ze bij elkaar komen te liggen, Nicole en hij, aan het eind van de rit? Daar was Frank opeens niet honderd procent zeker van. Tot voor kort was het bij elkaar begraven worden voor Frank een uitgemaakte zaak. Maar opeens twijfelde hij. En wat wilde Nicole?

'Doe me een lol, Frank,' zei Nicole. 'Zullen we het

daar een andere keer over hebben? We zijn op vakantie, weet je nog?' Ze keek hem bezorgd aan. 'Waar zít je met je gedachten?'

Ze streek over zijn haar. 'Ik hoef me toch geen zorgen over je te maken, lieverd, of wel soms?'

Terwijl ze terugliepen naar hun vakantiehuis gloeide de lucht boven hen roze en rood aan. De zon was aan haar dagelijkse landing begonnen, spoedig hield ze het voor gezien.

Frank tastte naar de hand van Nicole en kneep er ter geruststelling onnadrukkelijk in; alsof hij daarmee de eventueel bij haar ontstane twijfel over zijn opmerkingen van zo-even de baas kon. Een gebaar dat hem des te gemakkelijker afging omdat hij voor zichzelf de balans had opgemaakt. Hij zou niet in Den Haag begraven worden. Of Nicole hem wel of niet tot in het graf zou vergezellen, was geen vraag waar hij vannacht veel slaap aan zou verliezen.

Andere zaken hielden hem bezig.

2

De telefoon ging.

Frank Versteeghe zat aan zijn bureau huiswerk te maken, in zijn kamer op de zolderverdieping van het ouderlijk huis aan de Paganinidreef, in een buitenwijk van Voorschoten. De componistenbuurt was grotendeels nieuw; drie jaar geleden had de omgeving voornamelijk uit weilanden bestaan en sommige flats en huizen waren niet zo lang geleden opgeleverd. Alles zat fris in de lak en de verf en de straten en stoepen en voortuinen lagen er zonder uitzondering spic en span bij. Het was een buurt waar muziek in zat.

De telefoon bleef gaan.

Overmorgen had Frank een proefwerk biologie, een vak dat hem na aan het hart lag, dus hij had genoeg omhanden en geen zin om de telefoon aan te nemen die op een plank in een nis van de gang hardnekkig doorrinkelde.

Hoorde zijn zus de telefoon niet gaan soms? Dan kon zij toch aannemen, zo'n opgave was dat toch niet?

Frank besloot de telefoon de telefoon te laten en concentreerde zich op de loop van de zenuwbanen in het menselijk lichaam, iets wat Franks bijzondere interesse had. Zoals alle aspecten van het menselijk lichaam op zijn warme belangstelling mochten rekenen. 'Als die jongen,' had hij zijn moeder meermalen tegen vriendinnen horen zeggen, 'later geen dokter wordt of in de medische wereld terechtkomt, dan weet ik het niet meer. Dat zit er gewoon in bij dat kind, om iets in de gezondheidszorg te doen, dat merk je aan alles.' Frank wist inderdaad, anders dan de meeste meisjes en jongens in zijn klas, wat hij wilde worden: chirurg. Daar was hij geknipt voor, meende Frank, om later iets te kunnen betekenen voor mensen die in uren van nood hun lot in je handen legden.

Korte tijd later rinkelde de telefoon opnieuw en ditmaal leek het haast doordringender: het ging om een beller van de vasthoudende soort.

Frank stond op, liep de gang in en lichtte de hoorn van de haak.

'Frank?' hoorde hij zijn moeder zeggen. 'Frank, ik probeer je al de hele tijd te bereiken, waarom neem je niet op?'

Frank begon aan een lange uitleg over het hoe en waarom van zijn de-telefoon-niet-opnemen, wetend dat een uitgebreide verklaring het laatste was waar zijn moeder op zat te wachten.

'Frank, luister,' onderbrak ze hem, 'ik ben verlaat, dat wilde ik je laten weten, daarom bel ik je.' Zijn moeder werkte vier dagen in de week bij het dienstencentrum in

Leidschendam en het kantoor kampte de laatste dagen met nogal wat uitvallers vanwege een vroege lentegriep die heerste. 'Annelies is ziek,' legde zijn moeder uit, 'dus ik blijf wat langer vanwege de avondopenstelling. Je vader heeft gebeld, die is ook later thuis vandaag, allerlei gedoe op kantoor, je zus is naar huiswerkcursus, vandaar mijn vraag of jij Barbara straks wil uitlaten.'

Cathy was dus niet thuis, begreep Frank. Daarom had ze niet opgenomen. Toch bleef het een onverkwikkelijke gang van zaken. Dan had ze er maar wel moeten zijn. Het kwam al vaak genoeg op hem neer, de huishoudelijke beslommeringen.

Te vaak.

'Het hoeft niet uitgebreid,' hoorde hij zijn moeder zeggen, 'geen eindeloze wandeling, als ze er maar even uit is en een loopje kan maken, tien minuten, dat is genoeg. Dan kan Cathy haar vanavond langer uitlaten, of je vader.'

'Ma,' zei Frank, 'het komt erg ongelukkig uit. Ik stik van het huiswerk, wanneer zou dat dan moeten gebeuren, de hond uitlaten als het echt niet anders kan? Wanneer is het voor het laatst gedaan?'

'Cathy heeft haar om halftwaalf uitgelaten, ze is er speciaal voor naar huis gefietst. Het is nu, even kijken... zes over halfvier, dus... Voor vieren, als je het in elk geval voor vieren wilt doen, dat zou heel fijn zijn. Anders zit dat arme beest maar en kunnen we met een beetje pech straks de keukenvloer of de gang dweilen.'

'Goed,' zei Frank. 'Vooruit dan maar.'

'Zou je dat voor mij willen doen, lieverd? Heel graag.

Tot zo dan, jongen. Zie je straks. Neem iets lekkers uit de trommel beneden, die heb ik gisteren bijgevuld, daar zitten stroopwafels en een zak Engelse drop in, kijk maar, we eten wat later vanavond.'

Frank legde de hoorn neer, liep terug naar zijn kamer en zette zich opnieuw aan zijn werk. Barbara kon best een poosje wachten; die hond klapte niet zomaar uit elkaar.

Een kwartier later, toen het opnieuw tot hem doordrong dat hij alleen thuis was en dat nog wel even zou blijven, stond Frank op, liep naar de slaapkamer van zijn ouders een verdieping lager, viste wat lectuur onder hun bed vandaan, griste een washandje uit de badkamer en liep ermee terug naar zijn kamer boven.

Hij sloeg het blaadje open en bladerde het door tot hij iets zag wat hem aansprak: een vrouw met een lege cognacfles die volgens de contactadvertentie op zoek was naar een grote of fors geschapen kleurling die haar bij voorkeur van achter wilde nemen terwijl zij van voren de cognacfles hanteerde, en andersom. Een stel dat voor alles in was en geen taboes kende mocht eveneens reageren, ook als een van hen uitsluitend wilde toekijken.

Het ging om iemand die woonachtig was in Lage Zwaluwe, vrij kon ontvangen en geen financiële bijbedoelingen had.

Frank mocht misschien nog net geen vijftien zijn, maar hij was zich er terdege van bewust dat er een hoop mogelijk was in de wereld. De nood onder de mensen was hoog, hoorde hij zijn vader vaak zeggen, en daarin had zijn vader misschien niet helemaal ongelijk.

Hij keek nog eens goed naar de foto.

Het was een cognacfles van het merk Napoleon. De merknaam kon je met enige moeite onderscheiden, hoe postzegelachtig klein de foto ook was; zoals je ook kon zien dat de vrouw aan de mollige kant en al wat ouder was, en dat zij de hals van de cognacfles naar alle waarschijnlijkheid relatief makkelijk naar binnen en heen en weer kon schuiven.

Het was een mooie speling van het lot, bedacht Frank, dat de Franse keizer, hoe ellendig zijn tijd op Elba en Sint-Helena ook geweest mocht zijn, nu voortleefde als merknaam van een eersteklas cognac, vier sterren, en dat zijn nagedachtenis ondanks de mislukte veldtocht naar Rusland en de verloren Slag bij Waterloo in ere werd gehouden door de vrouw op deze foto. Was dat geen fraaie nalatenschap, fraaier nog dan dat je werd herinnerd vanwege de invoering van de Code Civil? Laat Napoleon maar schuiven, dacht Frank, die vindt zijn weg wel.

Tussen de borsten van de vrouw liep een gleuf of een kanaal, dat Frank aan de kanalen op Mars deed denken en aan Marsverkenners en bemande en onbemande ruimtevaart, sondes en draagraketten; maar die gedachtes kapte hij snel af: zo kwam hij er niet.

Frank knoopte zijn broek los en ging zitten. Hij had niet lang nodig. Daarna waste hij zijn handen grondig met zeep. Hun moeder verving de zeep als er een restje in de badkamer lag. Ze gooide die zeeprestjes niet weg, maar maakte ze op in de keuken beneden.

Ook als Frank met zijn dierenverzameling in de weer

was geweest – de botten en botjes die hij bewaarde in gemarkeerde dozen in zijn bureauladen –, waste hij zijn handen zorgvuldig. Daarna rook zijn kamer dan lang naar desinfecterende zeep: een ziekenhuisachtige geur waar je van moest houden.

Frank ruimde de boel op en zette zich opnieuw aan zijn biologiehuiswerk. Het zou enige tijd in beslag nemen voor hij de ins en outs van de loop van de zenuwbanen in het menselijk lichaam goed genoeg kende om bij de toets een hoog cijfer te halen.

Pas tegen vijven stond hij op om naar beneden te gaan.

Het moest ervan komen, Barbara uitlaten, begreep Frank, maar hij had nog altijd geen zin om een rondje met de hond te lopen. Waarom kwam dit soort akkefietjes stee-vast op hem neer? Nu zat hij eraan vast. En bij vanmiddag zou het niet blijven, dat hij de klos was en niet zijn zus.

Frank keek uit zijn raam, over de daken van de huizen, compleet met antennes en hier en daar een duiventil, en lager, naar de balkons en platjes met hun grijze vuilnisem-mers en naar de goed onderhouden tuinen en gazons en de fietsenschuurtjes die vers in de grondverf stonden en waarvan een rij daken – ondanks de recente oplevering van de schuurtjes – vanwege een lekkage na langdurige regenval kort geleden was vernieuwd.

Hij kon de rand van het park zien waar hij straks met Barbara zou lopen – het park waar de hele buurt zijn hond uitliet – maar niet de vijver met de kastanjebomen eromheen en de jonge aanplant; de vijver lag dieper en verder naar achter, de kant van de snelweg op, en liet zich niet zien.

Langzaam begon er iets te broeden bij Frank; een kleine maar handige inval die hij ogenblikkelijk verwierp maar toen nader overwoog. Ach, die arme lieve hond. Het was zo voor de hand liggend, het opzetje, zo eenvoudig, dat Frank zich voor zijn hoofd kon slaan dat hij er niet eerder aan had gedacht, aan een dergelijke oplossing. Waar zat hij met zijn verstand dat hij zoiets simpels niet eerder had bedacht?

Toen hij een dik uur later van buiten terugkeerde, gooide hij zijn shirt en broek in de was en waste zorgvuldig zijn handen, en toen nog eens.

Frank keek in de spiegel en wendde zich gerustgesteld van zijn spiegelbeeld af. Je zag niet dát aan hem, hoezeer je ook je best deed.

Kort voor halfzeven kwam zijn moeder gehaast thuis.

'Alles goed gegaan, Frank?' informeerde ze. Ze gaf hem een vluchtige kus en streek nog vluchtiger over zijn haren.

Ze zag er moe uit, zijn moeder, vond Frank, en een stuk ouder dan zij werkelijk was.

'Niet helemaal, mam.'

Even overwoog Frank haar wat te drinken aan te bieden, een glaasje water of wijn, voordat hij zou vertellen wat er vanmiddag was voorgevallen; daarmee zou hij de spanning aanzienlijk opvoeren. Toch zag hij daarvan af. Zoals de zaken ervoor stonden was het aangrijpend genoeg, daar hoefden geen kunstgrepen aan te pas te komen.

'O,' zei zijn moeder, 'vertel op, wat is er dan? Wat is er gebeurd?' Ze keek haar zoon aan; begon er iets te dagen? 'Waar is Barbara trouwens?' vroeg ze.

'Mam,' zei Frank, 'dat is het hem juist. Ga zitten, dan leg ik het je uit.' Hij trok een stoel onder de keukentafel vandaan zodat zijn moeder kon zitten. Dat deed ze met haar jas nog aan. Haar tas bleef onuitgepakt op tafel staan.

'Er is iets vervelends gebeurd vanmiddag, mam, iets heel vervelends. Ik weet niet goed hoe ik het je zeggen moet. Ik durf het je bijna niet te vertellen. Maar ik kon er niets aan doen, mam, ik kon er echt niets aan doen, écht niet, je moet me geloven. Meteen na je telefoontje ben ik met Barbara naar buiten gegaan...'

Frank vertelde wat er gebeurd was tijdens het uitlaten en waarom Barbara niet thuis was en zodoende niet kwispelend onder de keukentafel vandaan kwam of vanonder de kapstok in de gang om het baasje te begroeten.

'Mam, luister... lúister, je móet me geloven. Ik heb uren naar haar gezocht. Zo is het gegaan, mam. Ik kon er echt niks aan doen, of geloof je me soms niet?'

De schouders van zijn moeder schokten en Frank sloeg zijn armen om haar heen, dankbaar dat hij haar kon troosten.

'Kom,' zei zijn moeder ten slotte, 'laten we Barbara gaan zoeken.' Ze stond op van tafel. 'Misschien vinden we haar nog.'

Nog geen drie weken later kwam er een nieuwe hond, eentje die zijn moeder en Cathy samen hadden uitgezocht in het asiel bij het Schenkviaduct, niet ver van het Centraal Station. Daarmee was Frank terug bij af.

Het was een flink uit de kluiten gewassen exemplaar, type asbakkenras. 'Bijkomend voordeel,' zei zijn moeder, 'is dat deze hond, anders dan Bar, van zich af kan bijten.'

Op de terugweg naar huis waren ze het eens geworden over de naam van de aanwinst. Wolf moest hij gaan heten, omdat het een hond was die in staat leek zijn roepnaam waar te maken, indien nodig of gewenst.

Wolf zou het worden en Wolf bleef het, ondanks tegensputteren van Franks vader, bij wie de naam Wolf niet louter plezierige associaties opriep. Maar Chantal viel niet te vermurwen. Wie het niet beviel kon wat haar betreft vertrekken.

Het was een jonge hond, dus met een beetje geluk zou hij lang mee kunnen als er verder geen gekke dingen gebeurden.

3

'Frank,' zei Nicole, 'kun jij iets aan de flessen doen, dat garnizoen wijnflessen dat in de keuken en in de gangkast en bij de voordeur en op het terras staat opgesteld? Het hoeft niet per se nu, à la minute, dat niet, maar als je kans ziet om ze naar de glasbak te brengen dan graag. Straks breken we onze nek erover en wie zit daarop te wachten.'

Terwijl hij Nicole hoorde roepen dat hij de doos voor de deur van de bijkeuken en de lege fles bij het zwembad niet mocht vergeten, moest hij aan een vakantie met Juliette denken, aan het gesjouw met de lege flessen toen, en aan de buren in de vakantiewoning aan de overkant, en aan Ellen.

Vooral aan Ellen.

Halverwege die vakantie was een auto met Nederlands kenteken bij het half uit zijn scharnieren hangende tuinhek tegenover het vakantiehuis van de Versteeghes gestopt. Autoportieren gingen open en een gezin stapte uit.

De tweede avond, borreltijd, liepen de gemoederen bij de vakantiegangers aan de overkant hoog op en dankzij de open ramen konden de Versteeghes het verloop van de ruzie volgen.

De overbuurvrouw schreeuwde dat zíj terugging naar Nederland, alles liever dan een dag langer in dit klotegat te moeten blijven, terug dus, en wel nu meteen. Ze beende de tuin door en stapte in de auto maar kreeg deze om onduidelijke redenen niet ogenblikkelijk aan de praat. Frank hoorde dat ze herhaaldelijk probeerde te starten, maar de motor werkte niet mee aan haar ontsnapping. Of had haar man de bui zien hangen en uit voorzorg een kabeltje losgetrokken?

De kinderen renden huilend om de gezinsauto heen en riepen dat mama eruit moest komen, wat hun moeder vertikte; en ze gooiden grote houtblokken die bestemd waren voor de winterse open haard voor de wielen van de auto om hun moeder het wegrijden te beletten in geval dat de motor onverhoopt toch zou aanslaan. De auto toeterde toen haar hoofd het stuur raakte, een geluid dat lang aanhield; nu wist heel Saint-Franchy dat er problemen waren bij 'die Hollandse toeristen'.

In plaats van zijn vrouw te helpen liep de overbuurman woedend weg.

'Gaat dat wel goed daar?' had Juliette gezegd. 'Moeten we niet iets doen?'

Terwijl ze dat zei, zagen ze de oudste zoon achter zijn vader aan gaan.

Toen de twee na een poosje terugkwamen, was de overbuurvrouw weer bij zinnen en door haar kinderen uit de auto gepraat.

In de tuin kwamen de verwijten. Hij wilde weg, een proefperiode, want dit voortdurende geruzie werd hem te veel.

Zo ging het een tijdje door; tot de overbuurvrouw brak.

Haar man legde zijn hand op haar schouder, die door-schokte, en probeerde haar te troosten.

Het had er veel van weg dat de overbuurman hierop had gewacht en dat hij er zich misschien zelfs op had verheugd, constateerde Frank vanuit de voortuin. Beleefde zijn over-buurman heimelijk genoegen aan het verdriet van zijn vrouw en aan het aan de dag leggen van zijn troostend ver-mogen? Of lag dat aan Frank, en zei zijn inschatting meer over hem dan over de overbuurman? Het deed Frank aan zijn moeder denken, en aan haar verdriet om de hond.

'Hoe vind je het,' had Juliette opgemerkt, 'eerst voorko-men die kinderen dat hun moeder kan wegrijden en ver-volgens tovert de oudste zoon zijn vader tevoorschijn. Die kinderen gedragen zich een stuk volwassener dan... Je zou je toch doodschamen als ouders?'

Twee dagen later vertrok het gezin in alle vroegte.

Frank had Juliette gedag gezegd, de lege flessen gepakt, en was langs de vakantiewoning gekomen waar na het vertrek van de overburen geen nieuwe huurders waren verschenen. Hij sloeg links af en liep de straat in die bij de rij glasbakken en vuilcontainers tegenover het kerkje uitkwam. De flessen rinkelden aangenaam.

Er stond een grijze telefooncel op het plein die uitsluitend op muntgeld werkte, eentje van glas, die in Nederland allang een museumstuk zou zijn. Er hing zelfs een telefoongids in, een gaaf exemplaar, waarin je kon bladeren zonder dat de gids uit elkaar viel.

Op het grasperk in het midden stond een monument voor de gevallenen tijdens de Grote Oorlog. Het waren zo veel gesneuvelden, de geringe omvang van Saint-Franchy in aanmerking genomen, dat Frank zich afvroeg hoe het mogelijk was dat er in het gehucht na de oorlog nog één man of jongen over was en dat het überhaupt tot nageslacht was gekomen.

Terwijl de flessen een voor een stuksloegen op de bodem van de glasbak keek Frank naar het grote buiten tegenover de kerk, dat eigendom was van 'echte Parijzenaars' die er één keer per jaar een reünie hielden, een spraakmakend feest waar de inwoners van Saint-Franchy niet welkom bij waren; maar dat werd enigszins goedgemaakt door het vuurwerk waarmee het feest 's nachts werd besloten.

Frank maakte de kartonnen doos plat, schoof hem door de gleuf in de papierbak en wandelde terug de straat in, op weg naar hun vakantiewoning nog geen tweehonderdvijftig meter verderop. Juliette kon tevreden zijn, de flessen waren weg.

Een poes stak op zijn elfendertigst over: die wist dat je je in deze contreien niet hoefde te haasten, de kans dat je op straat iets overkwam was nihil.

Frank was de eerste paar huizen gepasseerd toen hij haar zag. Ze stond in een smal deel van de tuin, naast een gerenoveerde boerderij. Terwijl Frank naar haar keek, vergroenden de struiken en schoot het gras hoog op. Ze had een witte bikini met zwarte randjes aan en was bezig de was op te hangen, klein goed, een bezigheid die ze nu onderbrak. Er hing geen mannenkleding aan de lijn. Bij haar voeten stond een blauwe plastic wasmand; een blauw dat plezierig veel weg had van hemelsblauw.

'Hallo,' zei ze.

Ze had blond, on-Frans haar.

'Goeiemorgen,' zei Frank.

Het bleef een paar tellen stil alsof ze beiden onzeker waren hoe verder te gaan. Frank had opeens droge lippen en een droge mond en keel en kreeg zin in een koud glas cola of water desnoods, met ijsblokjes erin die tegen het glas rinkelden en zo de stilte zouden opheffen.

'Hallo,' herhaalde ze.

Ze voelde met twee handen aan haar bovenstukje, dat ze niet verschoof, en glimlachte toen.

'Ik ben Ellen,' zei ze.

'Goeiemorgen, Ellen,' zei Frank. Het was niet de sterkst denkbare voortzetting, verre van, maar ook niet zo'n slecht gekozen opmerking dat er deuren in het slot vielen. Franks 'Goeiemorgen, Ellen' liet genoeg ruimte om een beschut zomers pad in te slaan.

Welk wandelpad zouden ze nemen, had Frank zich afgevraagd, en hoe ver zou hij dat pad met Ellen op gaan? En was er, dat pad eenmaal ingeslagen, zoiets als een weg terug? Vragen waar Frank spoedig antwoord op zou krijgen, evenals Ellen, die de was liet voor wat-ie was en hem vroeg of hij iets wilde drinken.

'Graag,' antwoordde Frank.

'Binnen of buiten?'

Hij liep naar haar toe en kwam nu zo dichtbij dat hij haar kon ruiken. Ze rook naar frisse zeep.

Frank dacht aan de tijd die hem beschoren was voordat Juliette zich zou afvragen waar hij bleef, en hem zou komen zoeken.

'Ik had jou al eerder gezien,' zei Ellen.

'Is dat zo?' Frank wilde dat hij hetzelfde van haar kon zeggen. Was hem iets ontgaan en had zij een vermoeden wie hij was?

—

'Frank!' riep Nicole. 'Lieverd, wat sta je nou te dromen?! Doe je het morgen of moet ik het doen? Zeg het maar, zo'n moeite is het toch niet, die paar flessen naar de glasbak brengen? In Den Haag hoef ik je nooit om zulke klusjes te vragen. Het lijkt wel of jij eenmaal op vakantie steeds minder doet.'

Zonder iets te zeggen verzamelde Frank de lege wijnflessen en bracht ze weg.

4

Frank Versteeghe was vierenveertig toen hij Van Halsteren voor het eerst ontmoette, in de directe nabijheid van zijn huis aan de Frankenslag, waar hij destijds met Juliette woonde.

Hij was het tuinpad afgelopen en wilde op weg gaan naar het ziekenhuis. De ochtendspits was net begonnen en het getoeter was niet van de lucht. Op het kruispunt klingelde een tram om al te opdringerige verkeersdeelnemers eraan te herinneren dat het dubbele tramstel voorrang had, toen een man hem bij het tuinhek staande hield. 'Neem me niet kwalijk dat ik u lastigval...'

Het kwam niet vaak voor dat patiënten van Frank zich aan zijn voordeur meldden: hooguit een enkele keer, uit bezorgdheid over de gezondheidstoestand van een familielid of een dierbare, of uit woede als het erop leek dat er in het ziekenhuis iets was misgelopen dat niet mis had mogen of hoeven gaan en waarvoor de behandelend arts verantwoordelijk werd gehouden.

De man stak zijn hand uit. 'Van Halsteren, aangenaam.'

Frank weigerde de uitgestoken hand niet, dat kon moeilijk, maar trok zijn hand schielijk terug en benadrukte zo dat hij het onderhoud zo snel mogelijk wenste te beëindigen. Hij sloeg zijn regenjas dichter om zich heen en tilde zijn tas omhoog alsof het om zijn alibi ging en zei: 'Het spijt me, maar ik moet door. Ik ben laat.'

Van Halsteren deed of hij het vlugge terugtrekken van Franks hand als een onhandigheidje uitlegde omdat Versteeghe zijn jas steviger wilde dichttrekken. 'Wat spijt me dat te horen, meneer Versteeghe. Maar ik begrijp 't wel... U, als chirurg, u kunt uw patiënten niet laten wachten, alle begrip daarvoor.'

Er ging een kilte van de man uit die aan Frank leek te raken en onder zijn huid kroop en zich daar voortzette. Een kilte die Frank eerder had ervaren, in de televisiekamer van zijn hospita, toen Frank zich verbeeldde dat een gedaante zich losmaakte uit de schaduwen van de kamer, naar voren trad en het bed naderde; kort daarop was zijn hospita overleden.

Van Halsteren keek een ogenblik naar het spitsuurverkeer: een auto toeterde naar twee fietsende scholieren die uitweken voor een moeder en haar bakfiets.

Toen wendde Van Halsteren zich weer tot hem. Ondanks zijn nabijheid kostte het Frank moeite om uit te maken met wie hij van doen had. De hoed die Van Halsteren droeg en die hem gedateerd maakte – zo veel mannen met een hoed zag je niet in het straatbeeld – liet weinig van zijn gezicht zien.

'Enig idee wie ik ben, meneer Versteeghe?'

Van Halsteren liet een stilte vallen die Frank niet wenste op te vullen.

'Ik geloof het niet, hè,' vervolgde Van Halsteren. 'Sommige dingen dringen lastiger tot u door dan andere zaken, niet?'

De kilte die Frank ervoer nam toe, drong in hem door en breidde zich uit tot in de diepere regionen van zijn lichaam. Hij had deze koude een enkele keer ervaren als hij in het ziekenhuis visite liep.

Frank begon zich steeds ongemakkelijker te voelen.

Andere voorbijgangers leken de gestalte op de stoep niet op te merken en haastten zich verder. Dat verbaasde Frank, maar het was niet iets wat aan het fundament van zijn bestaan raakte.

'Het spijt me,' zei Frank, 'maar ik moet weg. Ik word verwacht. En ik kan mijn patiënten niet laten wachten, dat heeft u goed begrepen.'

Van Halsteren drong niet aan, maar lichtte zijn hoed. Daarop liep Van Halsteren de Frankenslag af in de richting van de Scheveningseweg en trok enkele tientallen meters verderop in de rij geparkeerd staande auto's een portier open – het was niet te zien om wat voor automerk het ging. Frank Versteeghe wachtte niet tot Van Halsteren zich in het drukke verkeer had gevoegd, maar liep naar zijn auto.

Wie was Van Halsteren, vroeg Frank zich af op weg naar het ziekenhuis, en wat wilde hij?

Een patiënt of ex-patiënt, al dan niet ontevreden, bleek Van Halsteren niet te zijn, naar later die dag duidelijk zou worden, want zijn naam kwam niet in de bestanden voor: noch in de administratie van Hilde, zijn secretaresse, noch in die van het ziekenhuis.

Achteraf betreurde Frank het dat hij niet de moeite had genomen om te wachten en te zien in welke auto Van Halsteren reed.

Zou het om een afwijkend model of type gaan dan wist Frank binnen de kortste keren dat hij bezoek kon ver-wachten. Mocht de auto in de nabijheid van zijn huis of het ziekenhuis opduiken dan zou hij zich mogelijk aan Van Halsteren kunnen onttrekken. Nu was die kans verkeken.

Tegen Juliette zei Frank niets over de ontmoeting.

5

'Frank!'

Dat was Cathy's stem.

'Frank!!'

Het klonk al een stuk geïrriteerder. Dat ging de goede kant op.

'Frank, eten!'

Hij hoorde haar herhaald roepen met een glimlach aan. Cathy was twee jaar jonger en geen partij voor hem. Ze kon stampvoeten en tekeergaan wat ze wilde, maar hij kon haar hebben.

'Fránk!!'

Hij pakte de kaart van Den Haag, vouwde hem uit en legde hem over het bureaublad.

'Frank!! Eten!!'

Hij zette zijn muziek harder, en toen nog iets harder. Nu moest Cathy de twee trappen wel op. Ondanks de heavy gitaarsong 'Kashmir' van Led Zeppelin die Frank had opstaan, hoorde hij zijn zus de trap op stormen met zware stappen en gebonk. Hij schroefde het volume nog iets op.

De kamerdeur vloog open.

'Frank!' zei Cathy. 'Zet die muziek wat zachter, verdomme! Ik blíjf je roepen, maar jij hoort niks.'

Frank keek zijn zus aan zonder iets te zeggen en zonder zijn muziek zachter te zetten.

'Ik moest je roepen van mama, het is al kwart over zeven, mama wil niet wachten tot de boel aanbrandt of afkoelt en koud wordt want "daar doe ik al dat werk niet voor". Het bekende gezeur, en ik mag dat staan aanhoren. "Ik doe mijn stinkende best, en dat jouw vader dan niet eens de moeite neemt om éven te bellen dat hij wat later komt, voor de zoveelste keer... Ik kom óok uit mijn werk, maar dat schijnt niet tot je vader door te dringen."' Cathy zuchtte. 'Of jij de tafel wil komen dekken, Frank, nu.'

'En jij dan?' zei Frank. 'Jij kunt die tafel toch dekken, daarvoor hoef ik toch niet naar beneden te komen?'

'Dat mocht je willen. Ik heb de vaatwasser twee keer uitgeruimd vandaag en ik laat Wolf na het eten uit. De tafel dekken mag jij doen, zo'n opgave is dat toch niet? Dan doe jij ook eens wat in huis.'

Zijn zus wilde weglopen, maar bedacht zich en bleef in de deuropening staan.

'Wat ben je eigenlijk aan het doen?' vroeg ze. Cathy keek naar de uitgevouwen kaart die het bureaublad afdekte. Die bolde hier en daar op, alsof er iets onder lag, dingen die in hoogte van elkaar verschilden.

'Dat gaat je niks aan.'

'Mij best,' zei Cathy, 'zoek het lekker zelf uit, Frank. Maar of je nú wil komen, anders breekt beneden oorlog uit, en dan heb ik het straks nog gedaan ook.'

De kamerdeur sloeg dicht.

Frank keek zijn zus nog na terwijl ze al verdwenen was en ze de trappen afholde naar de begane grond, en hij glimlachte.

Die Cathy.

Straks ging hij haar pijn doen. Niet veel, een beetje maar. Net genoeg.

Frank tilde de kaart van het bureaublad en van de spullen die erop lagen, de mesjes en de botjes en een van de favoriete oude poppen van Cathy. Het was een pop die ze van opa en oma had gekregen – die had 'emotionele waarde' voor haar, zoals Chantal het uitdrukte, en Cathy was hem al een poos kwijt, iets wat ze maar niet kon verkroppen.

Frank vouwde de kaart zorgvuldig op langs de lijnen die van fabriekswege waren aangebracht en schoof hem opzij. Toen legde hij de vogelbotjes een voor een voorzichtig in de op een na onderste rechterla van zijn bureau en borg de pop op in de lade eronder.

Voor de mesjes had hij een speciaal doosje, een oude sigarenkist van zijn opa die met vilt was bekleed.

Op de bodem van de kist lag een rood kussen zodat Franks gereedschap op een fluweelachtig bedje lag. Dat was belangrijk, want botjes kunnen wel tegen een stootje; gaat het onverhoopt een keer mis en breekt of knapt er iets dan scharrel je wat bij elkaar in de duinen, met een beetje geluk en je best doen: geen man overboord. Maar mesjes, je instrumentarium, de precisie-instrumenten die je hanteert als je beestjes opensnijdt of als je een keer mazzel hebt en een wat groter dier opensnijdt, als daar iets mee gebeurt, een buts, een haakje erin, dat kun je niet hebben. Je gereedschap moet je in ere houden, in onberispelijke staat. Dat moet zorgvuldig worden opge-borgen en bewaard, daar mag niets mee gebeuren, geen enkele beschadiging hoe klein ook, daar was Frank stellig van overtuigd.

Voor het grote mes, dat door het lemmet met grove kar-tels op een vis- of jagersmes leek, had Frank een langwer-pige kist, eentje waar zijn opa toen hij nog leefde Elisabeth Bas-sigaren in bewaarde. Het mes was zo groot dat je er bijna niet ongemerkt mee op straat kon lopen: deed je dat en werd je aangehouden dan kon je het geheid inleveren en was je het definitief kwijt. Daarom kwam het mes de deur bijna niet uit, want voor geen goud zat Frank zonder.

Toen alles naar tevredenheid was opgeborgen zette Frank zijn muziek zachter, en nog zachter, luisterde een tel aandachtig en draaide toen de knop om.

'Zo,' zei zijn moeder, 'ben je daar eindelijk?!' Chantal gaf hem twee onderzetters voor de ovenschalen die eraan kwamen en midden op tafel moesten worden gezet.

Cathy, zag Frank door het raam, was in de achtertuin met Wolf bezig en borstelde de vacht van de hond. Er kwamen plukken haar van af, die over de grond rolden als de wind door de heg en de struiken ging en over de bodem van de tuin streek. Je hoefde het haar van de hond niet op te ruimen, dat deed de wind wel.

'Hoezo "eindelijk"?' vroeg Frank.

'Precies zoals ik het zeg,' antwoordde zijn moeder, '"eindelijk". Ik had je zus gevraagd om je te roepen voor het tafel dekken, je zus hoeft niet alles te doen, die doet al genoeg in huis en vaak uit zichzelf, zonder dat ik erom hoef te vragen. Maar ze zei dat jij je muziek zo hard had aanstaan dat je haar niet eens hóorde, en dat ze alle trappen naar boven op moest en dat jij, toen ze het vriendelijk aan je vroeg, geen zin had om beneden te komen helpen, want zíj kon dat toch doen, die tafel dekken. Dat was jouw reactie, vertelde ze. Of wil je soms beweren dat het anders is gegaan, nee toch?'

'Mam, ik begrijp niet waar je het over hebt,' zei Frank. 'Ik kwam beneden omdat het zo lekker rook boven. Wat heb je gemaakt, lasagne?'

Frank legde zijn moeder uit hoe de vork werkelijk in de steel zat.

Daarop deed zijn moeder de tuindeur open en riep Cathy. 'Kom jij eens hier! Je zei dat je Frank geroepen had en dat hij het vertikte om te komen helpen. Maar dat héb je helemaal niet gedaan, hem roepen!'

Cathy stopte met het borstelen van de hond. 'Wat zeg je?'

'Je hébt Frank helemaal niet geroepen.'

Zoals ze naast de hond stond, borstel in de hand, was ze niet eens zo groot voor haar zestien jaar, vond Frank.

'Wát?!' zei Cathy, en ze leek uit haar schoenen te groeien, en minder meisjesachtig en minder klein van stuk. 'Wát durft-ie te zeggen? Durft hij te beweren dat ik hem níet geroepen heb?'

'Frank kwam uit zichzelf naar beneden,' zei Chantal, 'en volgens hem heb jij sinds je thuiskwam het grootste deel van de middag aan de telefoon zitten kletsen.'

Het eindigde met gehuil en woeste uithalen en slaande deuren en Cathy die stampvoetend naar boven verdween.

Later die avond kondigde Frank aan dat hij naar Anne moest, een klasgenote van hem die een paar straten verderop aan de Chopinlaan woonde. Hij had beloofd haar te zullen helpen met wiskunde want ze begreep niet veel van wat tijdens de laatste paar lessen op school was behandeld. Nee, stelde Frank zijn ouders gerust, hij zou niet lang wegblijven. Hij zou ruim op tijd thuis zijn om de hond uit te laten, dan hoefden zij dat niet te doen.

'Je kunt een hoop van hem zeggen,' zei Henri tegen Chantal toen hun zoon de deur uit was, 'en soms heeft hij de schijn tegen, dat ben ik met je eens, hij kan lastig genoeg zijn, maar je hebt wel wat aan hem. Frank is niet te beroerd om een poot uit te steken, waar of niet?'

Tegen halftwaalf was de hond uitgelaten en vertrok Frank opgewekt naar boven.

'Ik ga naar bed,' zei hij tegen zijn ouders, die tv keken, 'welterusten.'

Zie ze nu eens zitten, dacht Frank, getweeën op de bank, Chantal en Henri.

Eigenlijk heette zijn vader geen Henri maar Henk, en zijn moeder Sandra en niet Chantal.

Ze hadden elkaar ontmoet op een studentenfeest in Delft en waren anderhalf jaar later getrouwd. Ze deelden een voorliefde voor Frankrijk en omdat ze zo aan het Franse land waren verknocht, hadden ze elkaar op een van hun eerste vakanties schertsenderwijs Henri en Chantal genoemd, een verbastering die beiden zo goed beviel dat ze na terugkeer in Nederland hun nieuwe namen ongewijzigd lieten, waarom niet? Voortaan heetten ze Chantal en Henri en al vond hun vriendenkring het bespottelijk, ze hielden voet bij stuk. 'Ze wennen er maar aan,' had Henri meermalen gezegd. Uiteindelijk had de vriendenkring zich gewonnen gegeven, hoe potsierlijk de meesten van hen de naamswijziging ook vonden.

Cathy had Cathérine geheten, maar daarin was Cathy op haar beurt stijfkoppig gebleken. Cathérine vond ze een truttige naam, en dat vonden haar vriendinnen op het schoolplein ook, dus werd het Cathy.

'Ach, doe daar niet zo moeilijk over, Henri,' had Chantal gezegd, 'ze draait vanzelf wel bij en dan wordt het gewoon weer Cathérine. Laat dat kind toch.'

Nog een paar maanden, dan was Frank geslaagd voor zijn eindexamen en zou hij met een stel klasgenoten een week lang naar een feesteiland gaan voor de Griekse kust. Daarna kwam hij terug naar Den Haag en vertrokken Cathy en zijn ouders op vakantie naar Frankrijk, zoals elk jaar, dit keer eerst naar een kustplaatsje met een onuitsprekelijke Bretonse naam en daarna naar een vakantiehuis in de Dordogne. Frank zou op het huis passen en met vrienden vakantie vieren in Scheveningen, als het weer een beetje meewerkte. Wolf ging voor de duur van de vakantie naar een dierenpension in Zoetermeer waar Chantal goede berichten over had gehoord, hoezeer Frank ook bezwoer dat de hond bij hem in uitstekende handen zou zijn.

Het vertrek van zijn ouders hing af van oma; die was vierennegentig en was een 'mens van de dag' geworden, zoals Chantal het noemde.

Oma Bibi.

Frank was erg op zijn oma gesteld, en dat gold andersom ook. Ze liet zich nooit uit over een 'favoriete kleinzoon', maar het was de meeste familieleden wel duidelijk dat Frank een streepje bij haar voor had. Waar had hij het aan verdiend, vroegen sommigen zich af, want zo'n leuke jongen was Frank niet. Cathy had zich bij haar nichtjes tijdens een reünie of een gezamenlijke kerstviering wel eens wat laten ontvallen, over hoe het er thuis in Voorschoten aan toe kon gaan en hoe Frank zich kon gedragen, of misdragen. Dat had aanleiding gegeven tot enig hoofdschudden. Maar oma Bibi herkende in Frank iets van haar overleden man.

Bij hoofdschudden was het gebleven. Franks pesterijen en vermeend wangedrag waren een zaak van Chantal en Henri, luidde het algemene oordeel, en niet van de naaste familie.

Eenmaal op zijn kamer trok Frank aan een handvat links onder het bureaublad en lichtte voorzichtig een grote sigarenkist uit de open la, een kist van Willem II uit Den Bosch.

In de doos lag het vrijwel complete skelet van een fazant. Het was een van de trofeeën van Frank, een van de gaafst bewaard gebleven skeletten die hij in de duinen bij Meijendel had gevonden.

Hij keek er graag naar voordat hij ging slapen.

Hij werd er rustig van, van het bekijken en vasthouden van zijn verzameling botten en botjes en hele en halve krengen. Frank wist bijna zeker dat het enkele ogenblikken in zijn handen houden ervan zijn nachtrust ten goede kwam. Deed hij dat niet, dan lag hij vaak te woelen en bleef hij lang wakker.

De doos met de mooiste inhoud rustte in de onderste bureaula links. Daarin bewaarde hij de menselijke botjes die hij in de loop der tijd op verschillende begraafplaatsen in Den Haag had aangetroffen.

De kootjes en botjes van de talloze muizen en kleine vogels en ander gedierte – hoe waardevol ook – haalden het niet bij de menselijke overblijfselen die hij gaandeweg had weten te verzamelen. Daar kon niks tegenop, tegen mensenspul; dat was je ware.

Oma Bibi.

Hij had het er wel eens met haar over gehad, voorzichtig, over wat ze wilde dat er na haar dood met haar zou gebeuren, met haar stoffelijk overschot. Ze wilde bij opa begraven worden, op Oud Eik en Duinen, midden in de stad, om de hoek van de Loosduinseweg, een begrijpelijke wens. Nee, had ze lachend gezegd, Frank mocht haar kopje niet hebben en niet aan zijn verzameling toevoegen, kom nou, onder geen beding, ben je gek zeg. Ze begreep wat Frank bedoelde, hoe krankzinnig ook, en ze wist hoe dol hij was op zijn verzameling, maar daar ging oma niet aan meewerken, aan een dergelijke uitbreiding van de collectie, hoe leuk ze het op zich ook vond dat haar Frank helemaal kon opgaan in zijn hobby. Dat had ze altijd een mooie eigenschap gevonden, dat mensen zich konden verliezen in een liefhebberij. Zoals Franks opa vroeger kon opgaan in zijn liefde voor de jacht.

Maar om aan Frank haar hoofdje ter beschikking te stellen zodat ze te zijner tijd bij haar kleinzoon in de kast kon pronken, in een glazen vitrine met een kaartje met haar naam erop, dat ging haar huizenhoog te ver. Zoiets déed je niet, dat kon hij toch niet serieus menen, het hoofd van je oma etaleren in een uitstalkast? Zoiets was van de zotte. Nee, geen sprake van, ze had een hoop meegemaakt, waaronder de oorlog, maar haar hoofd op termijn ter beschikking stellen van Franks collectie? Nee, er waren grenzen, dat moest Frank kunnen begrijpen, dus dat feest ging niet door. En of hij nu dan dat kopje thee wilde maken waar ze hem eerder om had gevraagd. Nee, niet earl grey maar mangothee, als ze dat nog in huis had tenminste, dat wist ze niet helemaal zeker.

Frank kon de redenering van zijn oma uitstekend volgen. Het wás ook een hoogst ongebruikelijk verzoek, bijna ongepast.

Dat betekende niet dat Frank zich zonder meer bij het onvoorwaardelijke nee van zijn oma wenste neer te leggen. Stel dat het hem wél lukte en dat hij de schedel van zijn oma in handen kreeg, dan was zijn verzameling pas compleet.

Of compleet... Dat was het goede woord niet, want compleet was je nooit. Er was altijd ruimte voor groei. Nee, met oma's schedel in zijn bezit kon de uitbouw van zijn collectie pas werkelijk beginnen. Dat was een hecht fundament, een dergelijke aanwinst, daarmee zou het uitbreiden van zijn verzameling beslist makkelijker verlopen; een enorme stimulans, daar was Frank rotsvast van overtuigd. Viel er geen andere weg te bewandelen om zijn zin te krijgen?

In een oude hoedendoos bewaarde hij het keurig losgesneden hoofdje van een van Cathy's dierbaarste poppen. Het roze plastic kopje deed dienst als het hoofd van oma Bibi – het haar was, anders dan het haar van oma Bibi, niet grijs, maar daar zou hij het voorlopig mee moeten doen.

Frank draaide de pop op haar buik, keek naar het gat in het onderlijf dat er bruikbaar uitzag, ruim genoeg maar niet te ruim, drong naar binnen, pakte toen hij voelde dat hij er bijna was een mesje naast zich van het bureau, zette de punt van het lemmet op de plek waar de ruggengraat had gelopen als de pop een fractie realistischer zou zijn uitgevoerd en drukte de punt door het plastic heen, dat niet veel weerstand bood. Iets meer verzet had best gemogen van Frank, een beetje tegenspel kon geen kwaad, dat verhoogde het genot soms in aanzienlijke mate.

Toen hij het mes over de denkbeeldige ruggengraat naar boven wilde halen, naar het nekje, wat niet eens zo makkelijk ging, het plastic omhulsel bleek stugger dan hij zo-even had vermoed toen hij het mes in haar onderrug prikte, was Frank er al. Restte het opruimen.

Behalve dat deze keer het gat in het onderlijfje van Cathy's pop vrij groot was uitgevallen: ze was uitgescheurd en haar rug lag open. In de toekomst zou er weinig plezier aan haar te beleven zijn. Was de pop van binnen matig of slecht gevoerd geweest – wat niet het geval was – dan had de voering eruit gehangen.

Hoogste tijd om met behulp van de nietmachine een kleine maar noodzakelijke reparatie uit te voeren. Even later zat de pop dicht; het open ruggetje en het gat in haar onderlijfje, alles keurig gehecht.

Ze kon er weer tegen, de romp, indien gewenst. Toen bukte Frank zich en raapte het armpje op dat op de grond was gevallen.

Frank deed Cathy's pop terug in de schoenendoos waarin zijn sneakers hadden gezeten, borg de doos weg en ging achter zijn bureau zitten.

Hij was niet alleen. De maan hing laag en keek de kamer in.

In gedachte zag hij het mes opnieuw via de rug naar de schouderbladen en de nek gaan. Dat had hij van zijn moeder geleerd. Als er één ding was, één levensles die hij van zijn moeder had meegekregen, was het deze: altijd van je af snijden. Als je een mes hanteerde, bijvoorbeeld om de stugge stelen of stengels van bloemen schuin af te snijden voordat je ze in lauwwarm water in de vaas zette... Altijd van je af snijden, altijd. Dat was belangrijk, had hun moeder hun voorgehouden. Sneed je naar je toe en schoot je opeens uit, en dat kon zomaar gebeuren doordat je schrok omdat de hond onverwachts tegen je op sprong om-maar-iets-te-noemen, dan kon je ongelukken krijgen. Ziekenhuiswerk.

'Van je af, dus. Nooit naar je toe.' Tot vervelens toe, alsof Frank te stom was om voor de duvel te dansen. Wat begreep zijn moeder eigenlijk van hem?

6

Nicole verscheen op het terras van Villa Aurora, keek naar de bloeiende oleanders en toen naar Frank en naar hoe hij luierend bij het zwembad zat. Ze zwaaide naar hem en verdween naar binnen toen Frank niet terugzwaaide.

Anders dan Nicole vermoedde, zat Frank niet te dromen achter zijn krant maar dacht hij aan Juliette en aan hoe ze in Saint-Franchy waren beland.

'Waar zullen we dit jaar eens heen gaan?' had Juliette op een avond gezegd.

'Je bedoelt op vakantie?'

'Daar heb ik het over, ja. Onze plannen voor deze zomer. Laten we proberen dit weekend te boeken, als we tenminste iets willen, want nu kunnen we nog kiezen. Wachten we een maand dan zijn verreweg de meeste bestemmingen vergeven.'

'Frankrijk?' opperde Frank.

'Dat meen je niet serieus, hè. Hoe vaak zijn we daar al

naartoe geweest onderhand? Altijd en eeuwig datzelfde Frankrijk. Niet dat er iets mee mis is, dat niet, maar kunnen we echt niets anders verzinnen? Er valt zoveel meer te zien.'

Frank gaf geen antwoord, wat een soort van antwoord was.

'Ik heb het een beetje gehad met dat Frankrijk van je,' had Juliette vervolgd. 'Jij houdt altijd zo vast aan het bekende, ik-weet-niet-wat-dat-met-je-is. Laten we naar Schotland gaan, voel je daar wat voor? Ter afwisseling. Zo'n buitenissige bestemming is dat toch niet? Ik bedoel, het is geen IJsland en ook geen Kiev of Ankara. Of we gaan naar Wales, of naar Ierland voor mijn part, naar Dublin, al ben ik daar ooit met Johan geweest.' Johan was een oude vlam van Juliette met wie ze af en toe telefonisch contact had. 'Of een rondreis door Groot-Brittannië, is dat niet iets? De Cotswolds en Cheltenham en het Lake District...'

'Jij,' had Frank gezegd, 'wil het liefst naar Engeland, daar heb jij je zinnen op gezet.'

'En wat is daar mis mee? Frankrijk hebben we vorig jaar twee keer gedaan en volgend jaar zullen we er ongetwijfeld opnieuw heen gaan, al is het maar in de voorjaarsvakantie. En als je het zelf niet ziet zitten, doe het dan voor mij.'

'Waarom,' had Frank gereageerd, 'ga je er niet een paar dagen met Johan heen, is dat een idee?'

Juliette had hem enkele ogenblikken zonder een woord te zeggen aangekeken en was toen opgestaan.

'Ik geloof niet dat ik zin heb om dit gesprek voort te

zetten, Frank. Laat jij de hond uit, want ik ben naar bed. Ik zie je wel verschijnen. Haast je vooral niet.'

Vier maanden later reden ze tegen de avond Saint-Saulge in.

Het was de hele dag broeierig heet geweest. Bovendien werd op last van hogerhand nadrukkelijk op wolken beknibbeld, want de lucht was overwegend blauw en leeg gebleven. Zodoende had de zon vrij spel, en die maakte dankbaar gebruik van de geboden mogelijkheden en scheen erop los.

Lange uren hadden ze in de auto doorgebracht want de Fransen waren er zelf in groten getale op uit getrokken: het was ook hún zomervakantie. Mees en Karin waren uitgeruzied achterin en deden een spelletje op hun computer. Frank had per se iets van de aan files verloren gegane tijd goed willen maken en had een paar stops overgeslagen, hoezeer Juliette ook aangaf bij deze of gene Aire te willen pauzeren. Nu waren ze moe en hongerig. Iets te eten krijgen moest lukken in Saint-Saulge, de plaats waar Saint-Franchy onder ressorteerde.

Maar dat viel tegen.

In het Logis de France-hotel waren ze niet welkom, meldde de ober, want 'le maître' was juist vertrokken. Hoewel het zaterdagavond was, pas halfacht, en de eetzaal vol zat. Zag hij het gezin Versteeghe per abuis voor Duitsers aan? Dat kon zijn, maar Frank had geen zin om een dergelijk onnozel misverstand recht te zetten. Ze zochten het maar uit met hun restaurant.

In het schuin tegenover het hotel gelegen Café du Centre kon je alleen op donderdag- en zaterdagmiddag eten, zei de eigenaar. Maar, voegde hij eraan toe, er stond elke zaterdagavond een pizzakar bij de kerk. Ze mochten hun pizza's weliswaar niet in het café maar wel op het terras opeten; tenminste, als ze er bij hem iets te drinken bij bestelden.

Juliette nam alvast plaats op het terras. 'Ik hoor het wel dan, hè.'

Frank liep met Mees en Karin naar de *église*.

De pizzabakker stond vanuit zijn kar uit te kijken over het kerkplein. Zijn vrouw zat opzij van de toonbank op een kruk en hield hun baby wiegend op schoot.

Voor de kar hingen een stuk of twaalf jongens die hun pizza hadden opgegeten maar zich bij gebrek aan vertier in de nabijheid van de pizzakar ophielden. Af en toe schreeuwden ze iets of stoeiden wat en stompten elkaar en sjorden en trokken aan elkaars kleren, plaagstootjes. Nu en dan knetterde een van hen op een brommer voorbij om luidkeels tot een hogere snelheid te worden aangemoedigd.

Er was één meisje in de groep; een van de grotere jongens greep haar herhaaldelijk beet, trok haar bruusk tegen zich aan en kuste haar; handelingen waar ze zich niet echt tegen verzette en die door sommige andere jongens met applaus en gejoel werden begroet.

'*Mais non!*' riep ze. '*Mais non, salaud!*' Ze deed een halfslachtige poging om zich van hem los te rukken. Maar van haar uitroepen en verzet trok de jongen zich weinig aan – zijn vrienden moedigden hem aan vooral door te zetten – en uiteindelijk kuste ze een beetje met hem mee en bewees hem zo lippendienst.

Na een poosje begon de baby in de pizzakar te huilen.

Toen ze twintig minuten later met de pizza's terugkwamen zag Frank een man opstaan die bij Juliette aan tafel had gezeten. Hij zei iets waar Juliette om moest lachen, een lach die ze met moeite kon bedwingen toen ze Frank en de kinderen zag naderen.

Hij was jonger dan Frank, een jaar of vierendertig.

De man pakte zijn glas op, monsterde Frank met een korte blik en liep het café in. De man maakte een fitte, vitale indruk: fitter en vitaler dan hijzelf, moest Frank bekennen.

'Wie was dat?'

'O, niks,' antwoordde Juliette terwijl ze haar Blackberry van tafel pakte en opborg.

'Niks? Hoe bedoel je, "niks"?'

'Gewoon,' zei Juliette met een zweem van ergernis in haar stem, 'precies zoals ik het zeg, "niks", een Fransman die dacht dat ik alleen was en een praatje wilde maken, niks bijzonders.'

Frank drong niet verder aan want Mees en Karin stonden erbij en die waren niet doof als het op dit soort gesprekken aankwam. Ze onthielden zulke conversaties woordelijk en kwamen daar dan later op terug, bij voorkeur op een ongelegen moment.

'Niets in elk geval,' besloot Juliette, 'voor jou om je druk over te maken, oké?'

Ze pakte een doos, maakte hem open en tilde er een pizza uit waar mozzarella op zat, met olijven en rode en groene pepers.

'Ga zitten, jongens,' zei Juliette opgewekt tegen Mees en Karin. Ze keek in een van de andere dozen. 'Lekker. Hebben jullie trek? Dan mogen jullie de mijne ook hebben, want ikzelf hoef even niks.'

Korte tijd later begon het te miezeren en toen zachtjes te regenen. De vrouw van de uitbater kwam het café uit en trok met een haak-op-een-stok de zonneluifel omlaag, die nu als regenscherm dienstdeed. Zo hielden ze het droog.

's Avonds waren ze bijtijds naar bed gegaan. Maar tot veel leidde het niet.

Toen Juliette eenmaal sliep en Frank de slaap niet kon vatten was hij uit bed gekomen en naar de keuken gelopen om een glas wijn in te schenken.

Frank nam een slokje van de wijn en ging aan de keukentafel zitten. Hij dronk het glas met kleine teugen leeg en dacht aan wat er tussen zijn kleren verborgen lag en wanneer hij het tevoorschijn zou halen. Hoe hij er zachtjes mee over de rug van Juliette zou gaan, zo zacht dat ze hooguit een koele, aangename tinteling zou voelen, maar waarschijnlijk rustig zou doorslapen. Juliette wist dat hij dingen thuis bewaarde die niemand thuis bewaart; maar ze had geen idee wat Frank hier tevoorschijn kon toveren.

Hij moest geduld oefenen, wist Frank. Het was nog niet zover. Bovendien ging het hem niet om Juliette, dat kwam er nog bij.

—

'Frank,' zei Nicole, 'hoe zou het met Renate en Kasper zijn?'

'Goed,' zei Frank zonder van zijn krant op te kijken, *De Telegraaf*, die hij altijd op vakantie kocht, 'uitstekend. Hoezo, waarom vraag je dat?'

'Gewoon, zomaar. Omdat het mijn kinderen zijn, zou dat er iets mee te maken kunnen hebben misschien?'

'Bel ze dan.'

'Dat zal ik zeker doen vanavond.'

Kennelijk was het daar nog steeds niet van gekomen.

'Iets anders,' Frank vouwde zijn krant dicht, 'zullen we zo eens gaan?'

Dichtbij kraaide een haan. Een briesje streek over de tuin en speelde met het zwembadwater zonder dat het tot veel golfjes leidde.

'Was dat het plan,' zei Nicole, 'om in plaats van te luieren vandaag op pad te gaan? Dan mogen we onderhand wel vertrekken, anders komt er niks van terecht.'

Ruim een uur later liepen ze over de markt van Lézignan en weer een uur later wees Frank naar een terras voor een *boulangerie*. Nicole wilde een paar kramen met bric-à-brac afstruinen en zou zich later bij hem voegen.

Drie kwartier later kwam Nicole terug met een tas extra boodschappen en snuisterijen die ze naar eigen zeggen voor een spotprijs op de kop had getikt.

'Hoe vind je 'm?' zei ze terwijl ze een paarskleurig Frans wijnglas ophield. 'Het is een setje, zes stuks, plastic, en allemaal een andere kleur.'

Frank zei dat hij ze erg aardig vond, zij het dat ze aan de forse kant waren, onelegant. 'Daar gaat een hoop in, in die glazen. Dat is dan weer een voordeel.'

'Ik wist dat jij het niks zou vinden,' zei Nicole. 'Dan had je maar mee moeten gaan, dan had je me kunnen tegenhouden. Ik ben er blij mee. Dat ga ik vaker doen, zonder jou die marktjes af. Dan komt het er tenminste eens van, van iets leuks kopen, want als ik op jou moet wachten...'

In de vooravond belde Nicole kort met Renate en Kasper. 'Ik ook van jou,' hoorde hij haar zeggen.

Het herinnerde Frank aan het gezin in de lobby van het hotel waar Nicole en hij op de heenreis hadden overnacht. Bij het ontbijt hadden de kinderen niet allemaal naast elkaar kunnen zitten, zo vol was het geweest.

'Ik hou van jou,' zei het meisje naast Frank tegen haar broertje.

Dat kon zijn, maar mooi dat de jongen geen sjoege gaf.

Het meisje wendde zich tot haar zus. 'Ik hou van jou.'

Geen antwoord. Wel posteerde de moeder, die wegens plaatsgebrek niet aan tafel kon zitten, zich staande met haar bord bij de kinderen om het ontbijt en daarmee het vertrek te bespoedigen.

'Ik hou van jou.'

'Ja, het is goed met je,' zei de moeder. 'En nou ga je zitten en eten.'

'Ik hou van jou.'

'Bewaar dat maar voor als je eens een keer met je vader op vakantie gaat. Zitten en dat bord leegeten.'

'Maar mama...' hield het meisje vol. Haar broertje en zus wisselden een blik van verstandhouding. Ze konden haast voorspellen wat er komen ging en namen ieder een hap en kauwden het brood weg: op die manier bleven ze mogelijk buiten schot.

'Mama heeft hier vandaag geen zin in,' zei de moeder, 'snap je dat? Hoe langer jij zit te trutten, hoe later wij weg kunnen en hoe langer wij straks weer in de bloedhitte in de file staan, en mama is daar hélemaal klaar mee.'

'Ik hou van jou, mam.'

'Hou je d'r nou mee op?' Ze nam haar dochter bij de hand en trok haar van de kruk af. Op het bord lag een halve croissant en de beker melk stond er nog: daar was geen slok van gedronken. Even later klonk er gehuil buiten, kindergehuil, dat spoedig overging in gesnik.

De twee andere kinderen bleven op hun kruk zitten en werkten het restant van hun ontbijt stilletjes weg: de vakantie was begonnen.

'Alles goed,' zei Nicole opgelucht. 'En Renate had het dierenpension nog gebeld, gistermiddag, en met de hond ging het ook goed.' Voor het eerst waren ze zonder kinderen op vakantie. Renate en Kasper waren nu allebei het huis uit, iets waar Nicole meer moeite mee had dan Frank.

Zijn eigen kinderen hoefde Frank niet te bellen want die sprak hij zelden of nooit: die woonden in Montréal en zaten niet op een telefoontje van hun vakantievierende vader te wachten.

'Mis jij Renate en Kasper eigenlijk? Die indruk wek je anders niet.'

'De kinderen redden zich echt wel, ook zonder ons,' antwoordde Frank. 'En als er wat zou zijn onverwachts, dan weten ze ons te vinden, daar hoef je je nachtrust niet aan op te offeren.'

'Je hebt geen idee,' zei Nicole, 'hoezeer ik je betrokkenheid waardeer.'

Het was waar dat Mees en Karin zich goed redden en geen behoefte hadden aan uitvoeriger contact met hun vader dan een telefoontje met de feestdagen; kerst en oud en nieuw, en op hun verjaardagen.

'Frank,' had Juliette gezegd toen hij enkele tegenwerpingen tegen het vertrek van de kinderen maakte, 'het is daar de Nieuwe Wereld, Canada, en niet het einde van de wereld. Bovendien, ze spreken er Frans. Dat zou jou toch moeten aanspreken.'

Na een te verwachten moeilijk begin op de Université de Montréal hadden Mees en Karin hun draai gevonden en taalden niet naar hun oude leventje in Den Haag, en nauwelijks naar hun vader die toentertijd vaker niet thuis was dan wel.

Ze hadden van Juliette begrepen dat hun vader momenteel in Frankrijk vakantie vierde met zijn tweede vrouw. 'Zij liever dan ik,' had Juliette eraan toegevoegd.

Mees en Karin hadden elkaar aangekeken aan tafel in de keukenruimte van het appartement in downtown Montréal en namen een hap van het avondeten.

Wanneer kwam Roger thuis, vroeg Juliette zich af, want op haar herhaalde telefonische oproepen had hij niet gereageerd. De laatste tijd kwam hij vaker onverwachts later van zijn werk thuis. Waar bleef hij?

Laat die avond, na een korte woordenwisseling, liep Frank het terras op en keek naar de Grote Beer en zocht naar de Kleine Beer.

Hij dacht aan de terugreis naar Nederland die Nicole alleen zou maken, net als Juliette indertijd.

'Alweer?' had Juliette gereageerd toen Frank haar te kennen gaf zijn verblijf met een paar dagen te willen verlengen. 'Was je soms van plan om daar een gewoonte van te maken?'

Boven hem kwamen de sterren bij bosjes tevoorschijn. Maar ze lieten bar weinig los.

Het wachten was op een geschikt moment om het uitstel van zijn vertrek ter sprake te brengen. Hij zou tegen Nicole zeggen dat hij aan een artikel voor een medisch tijdschrift wilde werken. In Den Haag kwam daar niets van terecht, daar werd zijn tijd te veel in beslag genomen door zijn ziekenhuiswerk.

Als Nicole eenmaal was uitgewuifd en vertrokken kon hij aan de slag.

7

's Ochtends reden Nicole en Frank van Villa Aurora naar de markt in Roubia, een plaatsje aan het Canal du Midi.

Ze waren laat. De markt liep op zijn eind. Handelaren verkochten hun waren voor minder dan de helft van de prijs en in sommige gevallen voor aanzienlijk minder dan de helft, voor zolang het duurde, want links en rechts verdween de handel al in diverse gebutste bestelwagens. De kooplieden riepen iets naar elkaar, wat aanleiding gaf tot een hoop onderlinge vrolijkheid en gelach. De zaken waren niet slecht gegaan, voor vandaag zat het erop, morgenochtend wachtte weer een ander provincieplaatsje.

Terwijl Nicole nog snel wat inkopen deed, nam Frank plaats op een terras met zicht op de kramen en de marktlieden langs de oever, het brede kanaal erachter en de bergen daar weer achter. Roubia mocht een kleine plaats zijn, er viel genoeg te zien wat de aandacht vasthield.

Op het terras zat een man die van Franks leeftijd moest zijn. Evenals Frank had hij geen vakantiekleren aan. Er stond een lege koffiekop voor hem op tafel en een half glas rode wijn. Af en toe nipte hij ervan, maar de stand in het glas daalde nauwelijks.

De man keek naar het markttafereel; ook wat hem betrof viel er genoeg te beleven.

Zijn huid schilferde, zag Frank, en had iets weg van de loslatende bast van de platanen langs de Avenue des Lavandières: er dwarrelden stukjes schors op het plaveisel waar soms een spelend kind tegenaan schopte, en nog kleinere stukjes waarmee je niet kon voetballen. Dat je je met zo'n hoofd, dacht Frank, op straat durfde te vertonen.

Er cirkelden vliegen om de man en er zaten enkele vliegen op hem; op zijn voorhoofd en zijn haren, op een van zijn handen en zijn rechteronderarm, en er liep een vlieg over zijn shirt en over de tafel voor hem, bij het koffiekopje.

Hij sloeg ze niet weg, maar liet ze begaan. Alsof de vliegen een voorschotje namen op wat voor hem in het verschiet lag, en de man zich daarvan bewust was en zich er niet tegen verzette, of daar de kracht niet toe had.

Er liep een vlieg over de linkervoet van de man, zag Frank, voeten die sokloos in onhippe sandalen staken. Het was goed zoals het was, leek de man te zeggen. Hij had voldoende seizoenswisselingen meegemaakt, daar hoefde er niet per se een aan te worden toegevoegd. Hij was klaar voor een langdurige vakantie. Tot die tijd dronk hij zijn koffie, las de ochtendkrant en nipte van zijn wijn.

De man gebaarde nu naar de ober, maar deze leek hem niet op te merken.

Verderop sloeg de zijkant van een viskraam dicht en de

vrachtwagen-met-oplegger zette zich knarsend in bewe-
ging en trok lange stofsluiers achter zich aan, op weg naar
de middagmarkt van Luc-sur-Orbieu, een kleine twaalf kilometer hiervandaan, aan de andere kant van het kanaal.

Nicole stapte het terras op, zette de twee volle boodschappentassen resoluut op een onbezette stoel en zwaaide met
haar hand driftig om Franks hoofd.

'Wat doe je?'

'Wat ik doe?' herhaalde Nicole. 'De vliegen bij je weg-
slaan, wat dacht je dan dat ik deed? Heb je dat niet in de
gaten, dat het wemelt van de vliegen om je heen?'

Nee, legde Frank op zachte toon uit, dat was bij die
man twee tafels verderop met zijn koffie en glas wijn.

'O ja?' antwoordde Nicole. Ze keek opzij. Aan het bedoelde tafeltje zat niemand en er stond geen koffiekop of
wijnglas op tafel.

'Weet je dat zeker, schat?' zei Nicole. 'Weet je heel zeker
dat die vliegen bij iemand anders zitten, en niet bij jou?'

Frank begon Nicole uit te leggen hoe de man eruit
had gezien, alsof hij aan een huidziekte leed, maar Nicole
schudde haar hoofd. 'Lieverd, gaat het wel goed met je?'

Frank stond op, maar de man was opgegaan in de drukte op straat. Misschien dat de platanen langs de Avenue
wisten waar de man naartoe was gelopen, maar hun takken bleven roerloos en van hun bast liet geen schors los.

Met Juliette en de kinderen had zich een keer iets ver-
gelijkbaars voorgedaan, herinnerde Frank zich. Op een

avond zaten ze met Mees en Karin te eten in Hôtel de la Gare, in de rue de la Gare, een straat die zijn beste tijd achter zich wist. De meeste winkels hadden hun deuren voorgoed gesloten of stonden op het punt dat te doen; de panden stonden te koop, maar kopers waren er niet.

Het eten was naar wens, de tegenvaller waren de vliegen in het etablissement. Die zaten werkelijk overal: op de muren, op de tafels en stoelen, en met meerdere tegelijk rond de tl-verlichting op het plafond; en als je niet oplette op de rand van je bord of liever nog in je eten. Alsof in een van de schimmige hotelgangetjes iets in staat van ontbinding lag.

De vliegen zouden hen de hele avond gezelschap houden: je kreeg niet de gelegenheid je alleen te voelen.

Aan de bar dronken twee mannen een glas met de eigenaar van de zaak en vooral met zijn vrouw. Na verloop van tijd stond een van hen op, groette en liep naar buiten, naar de stenen borstwering langs de rivier. Hij stak een sigaret op, staarde een poos naar het water en naar de onverlichte huizen aan de overkant van de straat, schoot zijn peuk het water in en liep weg, naar de brug, en verdween in de rue Toulouse.

'Kom,' had Juliette gezegd, 'kun je afrekenen, Frank? Ik ben het zat hier, ik heb lang genoeg in deze bende gezeten. Gaan jullie mee, Ka en Mees, ik wil weg.'

Korte tijd later verlieten ze het stadje.

'Dat hadden we gelijk moeten doen,' zei Juliette, 'weggaan.'

'Het eten was goed,' wierp Frank tegen. 'Daarbij,' hij keek over zijn schouder naar de kinderen achter in de auto en knipoogde, 'we zijn er nog niet ziek van geworden.'

'Hou toch op,' zei Juliette. 'Die vliegen, dat was toch geen doen?'

—

Op de terugreis van Roubia, bij het verlaten van Olonzac, draaide een tankwagen de weg op, die pal voor hen uit bleef rijden. Het was een wagen die zilverkleurig moest zijn geweest, zilver dat door een laag stof grotendeels aan het oog werd onttrokken.

In Cesseras, het gehucht aan de voet van de bergrug waarop Mont Céleste lag, wrong de tankwagen zich de smalle straatjes in en zwoegde zich door nog nauwere straatjes die vrij steil omhoogliepen. Af en toe stopte de wagen en stapte de chauffeur uit om te checken hoeveel speling hij had. Niet veel: een paar centimeter aan elke kant tussen de flanken van zijn wagen en de geparkeerde auto's of de gevels.

De straatjes werden nog smaller en de chauffeur kwam om de haverklap zijn cabine uit: er schoot bitter weinig manoeuvreerruimte over. Soms keek de chauffeur omhoog, naar de lucht boven Cesseras. Het was niet duidelijk of enige hulp van bovenaf hem welkom was of dat hij iets of iemand vervloekte.

In een van de nauwe doorgangen zat een bejaarde man aan een ijzeren tafeltje, achter een glas pastis. Hij had een appel gegeten: het klokhuis lag voor hem op tafel.

De chauffeur klom uit zijn cabine en vroeg of de man hem

wilde waarschuwen als de wagen te dicht bij de tafel kwam.

'Dat is gek,' zei Frank.

'Wat is gek?'

'Het lijkt wel,' zei Frank, 'of ik die man aan dat tafeltje ken. Maar ik kan hem niet thuisbrengen.'

'Dat lijkt me stug, dat jij hier iemand zou kennen.'

'Toch zou ik durven zweren dat ik hem ergens van ken, dat gezicht, die gelaatstrekken... alsof ik hem nog niet zo lang geleden heb gezien, maar hij in korte tijd verschrikkelijk veel ouder is geworden.'

'Schat, eerst zie je in Roubia een man die er helemaal niet is, en nu denk je hier iemand te herkennen...' Nicole haalde haar schouders op en Frank liet het onderwerp rusten.

Onbeschadigd laveerde de chauffeur de wagen het gehucht door.

'Dat zie ik jou niet doen, schat,' merkte Nicole op.

'Nee,' beaamde Frank volmondig, 'en waarom zou ik? Bovendien heb ik daar de papieren niet voor, voor het besturen van een tankwagen.'

'Daar ligt het niet aan,' zei Nicole. 'Met een vrachtwagenrijbewijs op zak zou je het ook niet voor elkaar krijgen.'

Het leek Frank verstandig om daar niet op in te gaan. Nicole stak zo te horen niet in een opperbest humeur.

's Avonds staarde Frank lange tijd naar de heuvels achter de tuin en moest opnieuw aan de man denken aan het tafeltje in Cesseras die hij niet kende en die hij toch ergens van kende, maar dan in een sterk verjongde uitvoering. Waar en wanneer had hij hem eerder gezien?

8

Ze zouden vroeg opstaan en naar Minerve rijden, een middeleeuws gehucht in de midi-Pyreneeën, met een adembenemend uitzicht op de bergen en kloven en romaanse bruggen.

Maar van vroeg opstaan was het – het begon een gewoonte te worden – niet gekomen. Pas tegen halftien kwamen ze uit bed. 'Dit,' zei Frank tevreden, 'begint zowaar op vakantie te lijken.'

De zon scheen en de lucht was grondig gestofzuigd zodat er geen spoortje wolk terug te vinden viel.

Nicole en Frank besloten pas na tweeën te vertrekken, want tussen twaalf en halfdrie was alles dicht.

'Mis jij de kinderen?'

'Ik mis Den Haag,' zei Nicole, 'en de zee. Vooral de zee.'

'Dat Minerve,' zei Frank, 'wordt niks vandaag, hoog in de bergen, een behoorlijke klim, daar is het te laat voor. Laten we naar Capestang gaan, dat is een gehucht met een kathedraal die nooit is afgebouwd.' Zoiets sprak Frank aan, iets onafs, het onvoltooide of het wordende.

Nicole ging akkoord omdat ze daar brood kon halen en verse vis; en fruit in de stalletjes langs de doorgaande weg, abrikozen en meloenen.

Capestang was een dorp met autoloze straatjes die deden vermoeden dat de Eerste Wereldoorlog nog lang niet in de steigers stond. De kathedraal, die eerder als een vestingwerk oogde dan als een godsgebouw, was onafgebouwd gebleven en zou wel nooit worden voltooid, want wie zat daar op te wachten? De inwoners van Capestang niet, want het stadje lokte veel toeristen: zouden ze de kathedraal ooit afbouwen dan groeven ze daarmee hun eigen graf.

Het dorpsplein van Capestang werd omringd door platanen. Stemmen bleven hangen onder het dichte bladerdak en weerkaatsten van de stenen gevels van de huizen rondom, en dat gaf het plein iets beslotens.

Van een van de huizen aan de place Jean Jaurès ging een balkondeur open en een vrouw die rookte haalde het wasgoed binnen. Vlak voor ze de deuren sloot, smeet ze haar sigarettenpeuk over de balkonrand, een handeling waar niemand op het plein van opkeek. 'Weet je,' zei Nicole, 'ik rook niet, maar ik krijg opeens ontzettende trek in een sigaret.'

Kort nadat Frank en Nicole op een van de terrassen op het plein hadden plaatsgenomen waren de vliegen terug. Bij Frank.

'Was jij je niet?' vroeg een van de Nederlanders die opzij van Frank en Nicole aan een tafeltje zaten. Ze zaten er al een tijdje, hadden de nodige biertjes weggewerkt en lachten zo luid dat het de gesprekken op het plein overstemde en menige Franse bezoeker geërgerd hun kant op keek.

'Hé joh,' klonk het opnieuw, 'was jij je eigen nooit, dat die vliegen op jou afkomen?'

Het leidde tot hernieuwd gelach bij het gezelschap.

'Frank,' zei Nicole, 'we gaan. Hier heb ik geen zin in. Ik drink thuis wel een wit wijntje. Of ergens onderweg.'

—

Het was broeierig warm ondanks het vroege uur. 'Jezus!' zei Frank, 'ruik je dat?!' Nicole rook het eveneens. De walm viel moeilijk te missen.

'Het stinkt,' zei Nicole met een vies gezicht, 'alsof er iets ligt te rotten en knap lang ook. Niet te harden. Dat kun je omwonenden toch niet aandoen, zoiets?'

Nicole en Frank waren op weg naar Minerve en passeerden een klein erf waar een gezin in een onttakelde caravan woonde, aan de voet van Mont Céleste. Ze waren er vaker langs gereden, op weg naar Olonzac of Lézignan. Vier autowrakken en allerlei kapotte troep klonterden om de caravan, en een hond en kippen scharrelden over het modderige erf. Er was één auto op het terrein die de indruk wekte dat je je ermee zou kunnen verplaatsen zonder dat het motorblok onder de wagen uit viel of dat substantiële delen van de carrosserie losschoten.

'Komt die lucht bij hen vandaan?'

'Daar lijkt het wel op,' zei Nicole. 'Ik zou niet weten waar anders vandaan. Ze hadden daar toch een kind, een dochtertje? Ik heb daar een keer een meisje zien lopen, toen we hier aankwamen. Ze had iets flodderigs aan, geloof ik, maar in uitbundige kleuren.'

'Een meisje?' zei Frank. 'Dat is niet te hopen voor haar, afgaande op de lucht die er van het terrein afkomt.'

De hond, zag Frank, lag te slapen in de schaduw van een van de sloopauto's. Een voorportier hing uit het lood en zou met een beetje wind krakend bewegen.

Bij het *office de tourisme* in de hoofdstraat – veel andere straten telde Minerve niet – wilde Nicole naar binnen. Terwijl ze voor een kast met folders stond, dook een toeriste naast haar op die een poging deed haar opzij te drukken.

'Dat mens?' zei Nicole toen ze met de brochures buiten stonden. 'Dacht jij dat ik me laat wegdrukken, Frank? Maar dat was het probleem niet. Ze stonk naar zweet en knoflook. Ze kon zo haar intrek in die caravan bij ons vakantiehuis nemen. Ik dacht: ik knijp demonstratief mijn neus dicht, weet ze gelijk hoe laat het is. Zag je haar witheet de deur uit gaan? Dus de boodschap is helder overgekomen.'

'Nic,' zei Frank, 'jij maakt overal vrienden waar je verschijnt.'

Via een steegje kwamen ze bij de Zuidelijke Uitgang. Een stenen trap voerde naar de kloof en naar de drooggevallen rivierbedding aan de voet van Minerve. Hoog boven hen rezen de elfde-eeuwse vestingmuren op, en aan de over-kant van de kloof stond een metershoge katapult opgesteld die zichtbaar maakte hoe Minerve in vroeger tijden werd belegerd: met stenen werd een bres in de vestingwal ge-slagen. Niet zonder succes. Minerve was herhaaldelijk ge-plunderd en met de grond gelijkgemaakt, en desondanks keer op keer uit de as herrezen. Dat gaf de burger moed.

'Zullen we eens gaan?' stelde Nicole voor. 'Het is bijna vier uur, Frank, tijd voor rosé.'

'Nu weet ik het zeker,' zei Frank toen ze langs de caravan en de autowrakken reden. 'Die lucht komt bij hen van-daan, dat kan niet anders.'

'Ik zou willen dat ik het meisje zag,' zei Nicole terwijl ze het autoraam dichtdraaide, 'dat zou een hele gerust-stelling zijn. Zou het goed gaan daar, denk je?'

'Nic,' zei Frank, 'ik heb geen zin om me te verdiepen in hoe het mogelijk met dat meisje gaat. Ik ben op vakan-tie en wil dat graag zo houden. Ik ben hier niet namens de Raad voor de Kinderbescherming.'

'Toch zit het me niet lekker,' zei Nicole. 'Jij bent arts, kun jij geen poolshoogte nemen?'

Bij wijze van antwoord drukte Frank het gaspedaal die-per in, en Nicole begreep de hint en drong niet verder aan.

9

'Naar Carcassonne?' zei Nicole bij het ontbijt. 'Vergeet het maar, dan hadden we eerder op moeten staan. Gezien de afstand moeten we daar een dag voor uittrekken, anders is het geen doen.'

Vandaar dat ze naar La Livinière reden, waar een wijnboer zat die volgens de verhuurder van hun vakantiehuis uitstekende wijn leverde en bezoekers graag rondleidde. Maar de wijnboer was er helaas niet, vertelde een medewerker achter de toonbank, en daarmee was een bezichtiging van het *domaine* van de baan.

Toen ze buiten kwamen lag het parkeerterrein er wezenloos bij. Voor een van de bijgebouwen stond een vrachtwagen waaraan een deur ontbrak. Het zag er niet naar uit dat de ontbrekende deur binnen afzienbare termijn zou worden gemonteerd.

Frank tilde de twee dozen wijn die hij had gekocht – anders waren ze helemaal voor niets hiernaartoe gereden – in de kofferbak van zijn auto terwijl de medewerker van het domaine de winkeldeur haastig afsloot. De kerk-klok sloeg twaalf uur.

Aan de overkant naast de kerk was een parkachtige tuin met een stuk of wat tombes.

'Kijken?' stelde Frank voor en hij wees naar de over-kant.

'Waarom niet,' zei Nicole, 'we zijn er nou toch.'

Een van de grafbeelden toonde Jezus na de kruisiging, in de liefdevolle armen van een vrouw. Het beeld was deels stukgeslagen en het hoofd van de zoon van God lag een halve meter verwijderd van diens romp. Dat Jezus een dezer dagen met soepele heupen uit de dood zou op-staan leek onwaarschijnlijk.

Het hoofd van de vrouwenfiguur zat wel op haar nek. De vandalen hadden haar met rust gelaten.

Stel je voor, dacht Frank, dat de vrouw die over Jezus waakte op een nacht het hoofd van de grond zou rapen en het terugplaatste op de romp. Wat hem aan Cathy's knuf-fels en poppen herinnerde, en aan Cathy. Hoe zou het met haar zijn? Hij had zijn zus in jaren niet gesproken.

Het had geen zin om in La Livinière te blijven hangen en ze besloten door te rijden naar de Intermarché in Lézig-nan. Nicole zou boodschappen doen, een lange lijst die ze de avond ervoor had opgesteld; Frank ging naar de kapper die in de hal voor de supermarkt zat, tussen een warme bakker, een reisbureau en een bijouterie in.

Vanwege de middagpauze was het stil en Frank hoefde

niet te wachten tot hij aan de beurt was. Een jonge vrouw waste zijn haar, wees hem een kappersstoel en raadde, nadat ze had gevraagd hoe hij zijn haar wilde en ze uit zijn antwoord begreep dat Frank niet van hier was, waar hij vandaan kwam, *'l'Angleterre?'*

'*Non*,' antwoordde Frank. '*Les Pays-Bas.*'

Er volgde een gesprekje. 'Je spreekt goed Frans,' zei ze. Ze lachte er bemoedigend bij en leek hem te mogen. Ze zei dat ze Mireille heette.

'En jij,' vroeg Frank, 'kom jij van hier?'

'Nee,' zei ze, 'hoor je dat niet aan mijn accent? Ik kom uit Picardie, uit het noorden.'

'Wat bracht je hier?' wilde Frank weten.

'*L'amour*,' zei ze. Dit keer lachte ze niet.

Ze was jong, Mireille, maar niet meer zo jong dat je je eigen verjaardag uitbundig wenst te vieren.

'En dat houdt je hier,' vroeg Frank, 'l'amour?'

Nee, dat was niet het geval, *hélas*. Dat met die l'amour, dat was voorbij.

'Wat houdt je dan hier?'

'Dit werk,' zei ze. 'Zes dagen per week, van halfacht, de winkel opendoen, tot kwart over zeven, sluitingstijd, zonder pauze. Ik heb een kind te onderhouden, begrijp je.'

Mireille droeg een zwart jurkje. Ze had een groot Rolex-achtig horloge om, zoals filmsterren soms dragen die losjes met de tijd omgaan. En een armband met kraaltjes in felle kleuren om haar andere pols, die waarschijnlijk door haar kind op school was gemaakt. Mireille had een beginnend buikje dat haar charmant stond. Haar gezicht toonde minder mededogen met de draagster; enkele rimpels verdiepten zich tot groeven, en haar mond kon stroef staan.

Een nieuwe klant kwam binnen, een oudere vrouw die Mireille begroette met drie zoenen in de lucht en van wal stak over de hitte van vorige week en het onweer van de afgelopen dagen.

Mireille mompelde iets wat instemming beduidde zonder het knippen een tel te onderbreken. De vrouw sneed nog twee onderwerpen aan, gaf haar pogingen om Mireille te spreken bij gebrek aan respons op, pakte haar mobiel en belde met een vriendin in Parijs en vertelde dat ze bij de kapper zat maar vrijdagavond in de lichtstad aankwam, zoals afgesproken. Er was sprake van hooggespannen verwachtingen.

Bij de deur keek Frank om.

Mireille glimlachte, en haar ogen lichtten even op en haar mond stond minder stroef. Ze stak haar hand op: een hand waar al schuim aan kleefde van de shampoo waarmee ze de haren ging wassen van de vrouw die vrijdagavond in Parijs de bloemetjes zou buitenzetten.

'*Au revoir*,' zeiden ze bijna tegelijkertijd, wetend dat een au revoir er niet in zat.

'Jezus,' zei Nicole toen hij haar tussen de schappen terugvond met een volle winkelwagen, 'wat is er met jou gebeurd?'

'Hoe bedoel je?'

'Je haar! Wie heeft jou in godsnaam geknipt?'

'Hoezo, wat is er mis mee?' Frank keek haar niet-begrijpend aan. In de kappersspiegel was hem opgevallen dat zijn haar korter was dan gebruikelijk, maar niets om van ondersteboven te raken.

'Wat er mis is? O niks, schat. Het groeit vanzelf weer aan, dat geluk heb je. Maar één ding is zeker, degene die jou heeft gekortwiekt kan niet knippen.'

Het klonk alsof hij Juliette hoorde in plaats van Nicole. Dat gevoel bekroop hem vaker de laatste tijd. Ze hadden misschien meer met elkaar gemeen dan hij tot dusver had vermoed. Of begonnen ze gaandeweg hun leven met hem uit teleurstelling of uit onvrede meer en meer op elkaar te lijken? Viel daarom uit hun toon en bewoordingen soms bijna niet op te maken met wie hij van doen had, met Juliette of met Nicole?

Of lag het op een andere manier aan hem, en zag en hoorde hij dingen die er niet waren?

De verwijdering met Nicole die hij voelde had een aanleiding, kon Frank maar beter onder ogen zien. En hoe Nicole soms samenviel met Juliette lag grotendeels aan hem, en aan niemand anders.

Eén voorval in het bijzonder had een bres geslagen in hun verhouding.

Op een donderdagavond was hij na een borrel in het ziekenhuis met een klein gezelschap in een van de statige panden langs de Lange Vijverberg beland waar een feest aan de gang was. Vrij vlot na binnenkomst was Frank zijn collega's uit het oog verloren. Dat hij hen kwijtraakte kwam doordat een van de genodigden hem zo enthousiast begroette dat Frank begreep dat hij werd verondersteld haar te kennen en hij haar niet naar haar voornaam kon vragen.

'En schat,' had ze opgemerkt, 'waar is Nicole?'

'Nicole?' zei Frank. 'Thuis, bij mijn weten.'

'Des te beter.'

Na deze ontboezeming was het snel gegaan en na een poosje deed haar naam er niet meer toe.

'Schat,' zei ze, 'zal ik je influisteren wat ik wil?' Ze glimlachte en ging met haar hand zacht over Franks linkerwang. 'En waar ik zin in heb?'

Tegen halfeen verlieten ze het feest.

's Ochtends vroeg was hij wakker geworden achter het stuur van zijn auto die op de Melis Stokelaan bleek geparkeerd, zag Frank toen hij om zich heen keek.

Hij probeerde rechtop te gaan zitten en trok zich beetje bij beetje aan het stuur omhoog, behoedzaam. Waar had hij uitgehangen, en hoe was hij hier terechtgekomen?

Frank checkte zijn mobiel. Veertien gemiste oproepen, en niet van het ziekenhuis of van Hilde. Eén ding wist Frank wel. Hij had straks een hoop uit te leggen thuis, zodra hij thuis eenmaal ongeschonden zou hebben bereikt; en hij kon maar beter een goed verhaal klaar hebben.

Nee, begreep Frank terwijl hij de winkelwagen naar de auto duwde, dat Nicole en Juliette soms veel van elkaar weg hadden kon hij hun niet kwalijk nemen.

10

Cathy lag te slapen en Franks ouders waren naar bed gegaan nadat ze de hond hadden uitgelaten, het laatste uitlooprondje van de dag. Het huis verkeerde in diepe rust.

Bijna ideale omstandigheden voor Frank, en hij schoof zijn bed uit. Helemaal ideaal zou het zijn geweest als er niemand thuis was, dan had hij het rijk alleen en kon hij doen en laten wat hij wilde. Maar je kon niet alles hebben, zo reëel moest je zijn.

Er hing iets onbestemds in de late avondlucht en Frank was vastbesloten om het uit de lucht te plukken en vast te houden.

Voordat hij naar bed ging had hij het een en ander voorbereid; het bureaublad was leeg, alle huiswerk en losse spullen en schoolattributen waren opgeruimd en ingepakt. Frank kon zijn gang gaan: aan het bureau en het bureaublad zou het niet liggen.

En dat deed hij, zijn goddelijke gang gaan.

Frank sloop naar zijn bureau, knipte de lamp boven het blad aan, bukte zich en schoof een van de lades aan de linkerkant van het bureau open waarin hij een deel van zijn verzameling poppen van Cathy bewaarde die hij in de loop van de tijd uit haar kamer had ontvreemd.

Cathy had de nodige stennis over de verdwijningen gemaakt, waarbij ze met een beschuldigende vinger naar Frank had gewezen. Wie was daar verantwoordelijk voor, de werkster soms? Frank beweerde desgevraagd dat hij er niets van begreep: hoe konden de favoriete poppen van zijn zus verdwenen zijn, er liepen toch geen kabouters of elfjes door het huis die de boel verdonkeremaanden? Daarbij, wie zou die vieze rafelige dingen willen hebben, dat zuur ruikende door de hond afgekloven poppenspul, dan was je toch zeker niet goed bij je hoofd?

Cathy had het huis willen doorzoeken, van onder tot boven, met inbegrip van Franks kamer, maar daar stak Frank een stokje voor. Hij wilde zijn zusje best ter wille zijn, graag zelfs, maar rondneuzen in zijn eigen kamer deed hij zelf, daar hoefde zijn zus niet aan te pas te komen. Cathy soebatte bij haar moeder om toch eigenhandig Franks kamer te mogen doorzoeken, je kón niet weten, en Chantal voelde daar wel wat voor. Als Frank niets te verbergen had, hoefde hij er toch geen bezwaar tegen te hebben als zijn zusje zijn kamer doorzocht?

Toen Frank hierover in woede ontstak had Chantal een besluit erover uitgesteld tot Henri thuis zou komen 's avonds; en toen Henri er eenmaal was en met het gezin om de maaltijd zat, was het doorzoeken van Franks kamer door Cathy snel van de baan.

Dat feest ging niet door, vond Franks vader; in zijn kamer naar poppen zoeken kon Frank best zelf, daar had Henri alle vertrouwen in. Hij keek zijn zoon over tafel aan.

'Pap,' zei Frank, 'ik miste ook wel eens iets in mijn kamer, een van mijn favoriete dingen waarvan ik honderd procent zeker wist dat ik het daar en daar had neergelegd, op die of die plank, en dat bleek opeens weg, die dinky toys die ik van jou en mama met kerst had gekregen, en wees ik dan met een beschuldigende vinger naar Cathy? Ik dacht 't niet.'

Daarmee was de kous af, zei Henri tegen zijn vrouw en dochter. Discussie gesloten. Of ze er nu over konden ophouden, want het was vandaag geen feest geweest op het departement. Wilden ze niet met hem ruilen en een dag meelopen op het ministerie? Konden ze het over iets anders hebben, behoorde dat tot de mogelijkheden? Heel graag.

Hij keek Frank aan. Er was vast meer gebeurd tijdens zijn afwezigheid, toch? Had hij een cijfer teruggekregen op school?

Na een kleine aarzeling nam Chantal het woord en sneed een ander gespreksonderwerp aan.

Frank begon niet over school en zou alleen het hoognodige zeggen tijdens de maaltijd. Soms voelde hij zich stukken ouder dan hij was, en ouder dan de buitenlucht die hij vanaf zijn plek aan de eettafel door het raam kon zien.

Voorzichtig tilde Frank de pop met de lilablauwe kleertjes uit de doos in de la omhoog.

Het was een slappe pop met een zacht lijf. De armen en beentjes had Frank met een klein mes in een eerder stadium uiterst zorgvuldig verwijderd, liefdevol bijna, om de schade aan de romp zo veel mogelijk te beperken. Het hoofdje van de pop zat er nog keurig aan.

De geamputeerde ledematen bewaarde Frank in vloeipapier, opgerold en dichtgevouwen in een andere la. Zo bleven romp en ledematen van elkaar gescheiden en konden er geen gekke dingen gebeuren; geen eenwording waar niemand op zat te wachten, en Frank al allerminst. Je moest het zekere voor het onzekere nemen, anders liep de boel uit de hand en ging zo'n pop alsnog een eigen leven leiden.

Het was een forse pop, eentje die tegen een stootje kon.

Dat kwam goed uit, want er zaten een paar stootjes aan te komen en daarna zou er een aantal stoten volgen, en dan de nastootjes en het naschokken, en het was mooi meegenomen als ze niet verder uit elkaar zou vallen, want ze was al zoveel kwijtgeraakt, Cathy, Cathy's pop. Er moest wel íets van overblijven, anders beleefde je er geen plezier meer aan en kon je haar net zo goed meteen weggooien.

Frank trok zijn gestreepte boxershort waarin hij sliep omlaag, luisterde aandachtig naar de geluiden van het huis, trok de opening die hij onder in de romp van de pop had geknipt nog wijder open en schoof naar binnen, de vulling in, die bereidwillig mee veerde en toch voldoende tegenspel bood.

Frank wilde de pop waarin hij vaststak van het bureau

nemen, met twee handen de romp stevig vasthouden zodat er geen ontkomen aan was en diep in het schuimrubberen onderlijf stoten. Het hoofdje zou springerig heen en weer schudden, en als Frank hard stootte zou het woest alle kanten op slingeren, als het kopje van een bloem op een lange stengel die door toedoen van de wind op het punt van afbreken staat.

Soms, als hij zich ervoor in de stemming voelde, op een buitengewone avond of nacht zonder dat het bijzondere karakter ervan hem was aangekondigd, zette Frank bij het volvoeren van zijn handelingen een speelgoedmasker op, zodat hij tijdens zijn bezigheden niet zichzelf maar een ander was.

Jezelf wegcijferen en iemand anders worden, dat verhoogde het genot aanzienlijk, dan kon je je alles veroorloven. Kon hij maar vaker een ander zijn, dacht Frank, terwijl hij het masker strak trok en om zijn ogen plooide en minder en minder Frank Versteeghe werd.

Een ander of iets anders zijn, dat ontliep elkaar niet zoveel.

Opnieuw luisterde Frank of hij iets hoorde. Het spande erom, want hij was nu bijna op z'n kwetsbaarst.

Maar het pakte vanavond anders uit dan Frank het zich had voorgesteld.

Het schuurde pijnlijk en het had geen zin om tot bloedens toe door te zetten, en hij trok zich uit het poppenlijf terug.

Hij pakte het mes dat op het bureaublad klaarlag, nam

de pop stevig beet, en hield zich voor de verandering eens niet aan zijn moeders levensles. Het mes sneed alle kanten op.

Lang had Frank niet nodig. Dat moest hij vaker zo doen, nam hij zichzelf voor.

Hij deed het masker af en borg de spullen op in een van de lades.

Toen knipte hij de bureaulamp uit en schoof terug in bed, en zijn lichaam werd een mal waarin hij, tijdelijk vloeibaar geworden, werd teruggegoten en stolde.

Frank viel niet ogenblikkelijk in slaap, maar dacht aan wat hem te doen stond als hij Frank Versteeghe niet was, en hij dacht aan Cathy's poppen en aan zijn dierenverzameling. Er mocht iets van hem worden verwacht, en hij beschikte over het benodigde instrumentarium daartoe. Bovendien, hij stond er niet alleen voor en hoefde niet alles eigenhandig uit te voeren.

Het was prettig om jezelf los te kunnen laten en in de huid van een ander te kruipen en te ontdekken wat daar speelde. Wat dat betreft had hij met zijn ouders te doen, en met Cathy. Zat je aan jezelf vast dan was er geen beginnen aan, dan zat je jezelf maar in de weg.

Toen dacht hij aan het poppenlijf dat in de la lag bij te komen, en aan wat ervan over was. Dat was het enige nadeel aan deze methode. Het zou heel wat nietjes vergen om de boel enigszins te fatsoeneren.

—

De zoveelste ruzie.

'Donder op,' zei zijn moeder. 'Nu ben ik het zat, spuug-zat. Donder op, Frank, naar boven, naar je kamer, en je laat je hier beneden de hele avond niet meer zien, heb je dat heel goed begrepen, mispunt dat je bent? Wij laten die hond wel uit, jij hoeft je gezicht niet meer te verto-nen. Ik ben het spuug- en spuugzat, als je dat maar goed in je oren knoopt.'

Frank keek zijn moeder licht spottend aan, schoof zijn stoel van tafel en richtte zich tot Cathy, die in tranen te-genover hem zat. 'Hier krijg je spijt van, zusje, wacht maar tot papa thuiskomt.'

'Als jij niet gauw maakt dat je wegkomt,' riep zijn moe-der, 'dan kom ik je een handje helpen, de trap op naar je kamer.'

'O ja?' zei Frank. 'Meen je dat, mam? En wie neem je daarvoor mee, Cathy soms?'

Er klonk een schrapend geluid: in de keuken schoof een stoel hard achteruit.

Frank stampte een paar traptreden op en stommelde iets minder luidruchtig omhoog, tot hij bovenaan bleef staan. Toen sloop hij de treden terug die hij zojuist was opgegaan.

'Wat een rotjoch,' hoorde hij Cathy uitbrengen. 'Wat een intens gemeen rotjoch is het toch.'

'Het is om gek van te worden,' beaamde zijn moeder. 'Hij is af en toe net zijn vader. Twee druppels water. Ze kunnen het bloed onder je nagels vandaan halen, die twee.'

Het was even stil.

'Ik kan hem wel wat doen soms,' hoorde Frank zijn moeder zeggen.

'Wie?' vroeg Cathy.

'Je vader. Mijn handen jeuken soms, dat mag je best weten.'

Zonder enig gerucht te maken sloop Frank de trap op. Wat zou zijn moeder dan willen doen: zijn vader of hem de trap af duwen? Het was een mogelijkheid, en de moeite van het overwegen waard. Toch stond Frank een ander scenario voor ogen. Een simpel duwtje van de trap, zo genadig kwamen Cathy en zijn moeder er niet van af.

Of het tot uitvoering van zulke plannen zou komen, wist Frank niet. Daar ging een ander over, dat had niet alleen hijzelf in de hand.

11

Dat Frank bij huiselijke ruzies en twisten zo overtuigd was van zijn zaak, zonder het geringste spoortje twijfel, en zich verzekerd wist van de verregaande loyaliteit van zijn vader, had een oorzaak.

Hij had zijn vader waar hij hem hebben wilde, in zijn broekzak; een bergplaats die Frank uitstekend beviel.

Daar had Henri het zelf naar gemaakt. Zijn vader had zijn autoriteit verloren, en mocht hem dat ontschoten zijn of mocht hij het gemakshalve willen vergeten dan was Frank desgewenst bereid om hem aan die ene lentemiddag te herinneren.

Frank had zijn vader voorbij zien komen voor het terras van een café aan de Grote Markt in Den Haag waar Frank met een stel klasgenoten tijdens de lunchpauze zat. Er waren een paar lesuren van het middagrooster geschrapt – en hij en zijn medescholieren hadden er een paar uur pauze bij gekregen. Het moest ook zijn vaders lunchpauze zijn, gelet op het tijdstip, tegen enen; maar het zag er niet

naar uit dat er in zijn vaders geval van lunchen veel terecht zou komen, want Henri was niet alleen maar wandelde met een jonge vrouw met kortgeknipt blond haar
en een kort rokje. Daar was niets mis mee, integendeel, ze
had een secretaresse van zijn vaders kantoor kunnen zijn,
niets-aan-de-hand, maar zo onschuldig lagen de verhoudingen niet.

Het had er alle schijn van dat een middagmaaltijd niet
de hoogste prioriteit van zijn vader genoot en ook niet
van de vrouw in wier gezelschap hij verkeerde, of Frank
moest zich sterk vergissen. Zou, vroeg Frank zich af, zijn
moeder er weet van hebben, van deze aantrekkelijke verschijning van hooguit dertig, eenendertig jaar met wie zijn
vader het plein overstak en bij de Grote Kerk uitkwam?
Dat leek Frank niet erg waarschijnlijk. Nee, het leek geen
vrouw over wie zijn vader 's avonds aan tafel openhartig
zou vertellen, of over de avonturen die hij buiten kantoor-
tijd met haar beleefde.

Zijn moeder zou ervan opkijken als hij met dit verhaal
thuiskwam, breaking news, en Cathy ook. En anders zijn
vader wel, veronderstelde Frank, of zou die de door zijn
zoon beschreven situatie glashard ontkennen? Dan moest
Henri van goeden huize komen, om Chantal van zijn ver-
sie van Franks verhaal te overtuigen; dat zag Frank zijn
vader nog niet een-twee-drie doen.

Zijn vader en diens vriendin liepen de Schoolstraat in
en hij dreigde hen uit het oog te verliezen. Frank stond
op, zei tegen zijn klasgenoten dat hij niet lang wegbleef,
ze konden op hem wachten als ze wilden maar het hoefde

niet, dan zag hij hen op school wel weer, en hij liep zijn vader achterna, op veilige afstand. Waar gingen ze heen?

Zijn vader en zijn vriendin sloegen aan het eind van de Schoolstraat rechts af, wandelden tussen de kerk en het oude stadhuis door naar de Prinsestraat en liepen de Molenstraat in. Verbeeldde Frank het zich of versnelden ze hun pas?

Op de hoek van de Oude Molstraat gingen ze een deur in: de ingang van het Palace Hotel. Daarom hadden ze zo'n haast gekregen, begreep Frank; eenmaal in het zicht van de haven wilden ze geen tijd vermorsen.

Frank gunde zijn vader een kleine voorsprong – Neem het ervan, pap. Neem het ervan nu het nog kan. –, passeerde de hotelingang en wachtte een paar minuten aan de overkant van de straat voor de etalage van een modewinkel die seizoensopruiming hield. Frank liet een paar auto's, en een stel fietsers en voorbijgangers passeren voordat hij overstak.

Toen liep hij het hotel in. Achter de receptiebalie stond een vrouw van een jaar of vijfenveertig, die iets noteerde in een logboekachtig schrift. Daar had ze het druk mee, met aantekeningen maken, want het duurde even voordat ze opkeek en Frank vroeg waarmee ze hem van dienst kon zijn.

'Klopt het,' vroeg Frank, 'dat hier zo-even twee mensen naar binnen liepen, krap tien minuten geleden, hooguit een kwartier, een man en een vrouw? Een jonge vrouw.'

Zijn vraag werd niet ogenblikkelijk met een eenduidig

'ja' beantwoord. 'En wie vraagt dat, wie wil dat weten?'

'Ik zag ze op een terras,' verduidelijkte Frank, 'op de Grote Markt. En toen ze opstonden,' Frank haalde zijn zonnebrilkoker uit een jaszak tevoorschijn, 'vergat hij, die man, deze koker. Zijn zonnebril. Ik was te laat om ze in te halen, maar ik zag ze hier naar binnen gaan, tenminste dat dacht ik. Maar ik kan me vergissen, misschien namen ze een andere deur, daarvoor was de afstand te groot. Dat zou jammer zijn, maar dan kan ik er verder niks aan doen. Dan is die man zijn zonnebril kwijt.'

'Vooruit dan maar,' zei de vrouw achter de balie toegeeflijk. 'Normaal gesproken doen we dit niet, maar... Loop maar door. Twee trappen op, en dan de gang in rechts. Kamer 218. Daar zal die mijnheer blij mee zijn. Wat attent van je.

Zeg, als je een beloning krijgt,' voegde ze er quasi serieus aan toe, 'vindersloon, deel ik mee in de winst, afgesproken?' Ze boog zich opnieuw over het boek en schreef iets op.

Frank liep stil de twee trappen op naar boven. Daar hoefde hij geen moeite voor te doen: er lag een dikke loper op de treden zodat hij zonder enig gerucht de tweede verdieping van het hotel bereikte en rechtsaf de gang in liep.

Hij kwam bij kamer 218. Opzij van de deur, op ooghoogte rechts aan de muur, zag Frank, hing een oude ets van Den Haag, *Gezicht op Laakhaven*; dat wil zeggen, een kopie ervan.

De deur van kamer 218 was dicht, zoals te verwachten viel. Zijn vader kon het momenteel zonder bezoek stellen.

Frank luisterde, maar hoorde niets; tot hij zijn oor aan de deur te luisteren legde en douchegeluiden opving, en gelach.

Hij deed een stap terug, wachtte een tel – links van de deur, zag hij, hing een oude landkaart aan de muur waarop Nederland er heel anders uitzag, wateriger, en een stuk kleiner – en klopte toen aan: niet hard, maar wel duidelijk hoorbaar.

Er gebeurde niets; hij had ook niet anders verwacht.

Frank klopte opnieuw, harder dit keer. Dat zijn vader liever niet gestoord wenste te worden, daar had hij alle begrip voor – maar zonder te storen ging het niet en hij had niet de hele middag de tijd.

Er klonk gestommel achter de deur en een stem die 'Ja?' riep: onmiskenbaar de stem van zijn vader.

'Roomservice,' zei Frank met lage stem.

'Roomservice?' hoorde hij zijn vader met een mengeling van ergernis en verbazing herhalen. 'Ik heb niks besteld. Dat moet een vergissing zijn. Sorry, maar dat moet voor een andere kamer zijn.'

'Henk?' zei Frank.

Het bleef een ogenblik stil aan de andere kant van de deur. Toen hoorde Frank hoe het slot werd opengedraaid en de haak van de deur ging zodat deze op een kier kwam te staan. Frank zag een smalle reep van zijn vader. Hij had een witte badhanddoek om zijn middel geslagen maar zijn haar was droog: hij was nog niet onder de douche geweest.

Vanuit de badkamer klonk nog steeds watergekletter; dat moest zijn vaders metgezel zijn.

'Hoi pap,' zei Frank monter. 'Heb je het naar je zin?'

Zijn vader keek hem strak aan en antwoordde niet.

'Ik dacht het wel, hè, dat je het naar je zin had. Ik kom toch niet ongelegen, pap? Dat zou me spijten. Hoe heet ze trouwens, je waternimf?'

Nu was zijn vader in staat een paar woorden los te laten.

'Hoe wist je dat ik hier...?'

'Het is geen kleine stad, Den Haag, pap, zeker niet. Maar ook geen metropool. Je moet een beetje beter uit- kijken waar je loopt, vooral tussen de middag als iedereen pauze heeft en het druk is op straat, dat hoef ik jou toch niet uit te leggen?'

'Wat dóe jij hier? Jij hoort godverdomme op school te zitten.'

'Klopt, maar er viel een stel lesuren uit vanwege een demonstratie tegen de voorgenomen bezuinigingen op het onderwijs. Daar mochten we van school heen, naar het Malieveld. Dat vonden de leraren een goed idee, want zij staan honderd procent achter deze actie. Maar die demonstratie is pas later vanmiddag. Wil je de details weten, pap?' Frank grijnsde. 'We zaten op een terras aan de Grote Markt toen ik je voorbij zag lopen, of jullie dus eigenlijk. Wat een verrassing, pap. Dat had ik niet achter je gezocht. En ze is nog heel jong, een stuk jonger dan jij bent, hè? Red je dat wel?'

Zijn vader was van de eerste verbazing bekomen en

deed een poging om de mogelijk aangerichte schade te beperken.

'Luister goed, Frank. Luister naar wat ik je zeg, en
knoop het goed in je oren. Dit heb je niet gezien, begrijp
je dat? Dit heb je allemaal niet gezien. Jij bent hier nooit
geweest, heb je dat heel goed begrepen?'

'Dus ik moet mama er niets over vertellen, pap, als ik
straks thuiskom en ze vraagt hoe het op school was, is dat
de boodschap?'

'We begrijpen elkaar, hè Frank?' zei zijn vader. 'Ik hoef
je dat niet uit te leggen, neem ik aan.'

'Zeker, pap, zeker weten. Dat knap ik graag voor je op,
dit klusje, om alles te vergeten wat ik heb gezien en hoe
ik je hier heb aangetroffen, hotelhanddoekje om je middel
geknoopt, en met wie. Geen probleem. Een kleinigheid.
Maar dan help jij mij ook hè, als ik eens een keer iets nodig heb, toch? Want je kunt niet weten, en dan reken ik
op je.'

'Henri!' hoorde hij een vrouwenstem uit de badkamer
roepen. 'Henri, waar blijf je, waar blíjf je nou? Zo lang
hebben we niet, schiet een beetje op, wil je? Ik moet ook
bijtijds terug zijn, straks.'

'Hoe heet ze, pap?' zei Frank. 'Ze heeft toch wel een
naam? Ook iets in het Frans, Jacqueline of Valérie? Zoiets? Of heeft ze geen naam?'

Zijn vader duwde de deur dicht en drukte hem zachtjes in het slot.

'Have fun, pap.'

'En?' vroeg de vrouw achter de receptiebalie.

'Viel tegen,' zei Frank. 'Het was een ouwe bril, zei die man, eentje die niet veel waard was. "Bedankt voor het brengen" maar ik mocht hem houden als ik wilde, met koker en al want die was zo goed als versleten. Hij wilde toch al een nieuwe kopen, en vanmiddag een montuur uitzoeken samen met zijn vriendin.'

'Pech.' Ze keek hem aan. 'Wat heb je toch een ondankbare mensen, hè,' zei ze.

'Zeg dat wel,' beaamde Frank. 'Maar in dit geval valt het mee. Die man boven, dat is mijn vader, met zijn vriendin. Leuk nieuws voor mijn moeder. Dat zal ze zeker waarderen, om dat vanavond aan tafel te horen, in geuren en kleuren.'

'Godallemachtig,' zei de hotelemployee.

Opgewekt liep Frank het Palace Hotel uit, de stad in, terug naar zijn vrienden op de Grote Markt. Misschien had het oponthoud hun te lang geduurd, bedacht hij, en hadden ze niet op hem gewacht en waren ze al weg.

Die veronderstelling bleek juist. Dat temperde Franks humeur geenszins. Het was een feestelijke dag, demonstratie of geen demonstratie.

Sinds die lentemiddag in Den Haag danste Franks vader naar zijn pijpen. Of dansen... Nee, dansen misschien niet, zo-kon-je-het-niet-noemen, maar zijn vader legde een opmerkelijke souplesse aan de dag om mee te gaan in het door Frank gedicteerde ritme, een en al goede bedoelingen en bereidwilligheid. Om dat plezierige wederzijdse begrip te handhaven was niet veel nodig, op een kleine wake-up-call na als Franks vader zijn middaguitstapje in het hotel dreigde te vergeten. Eén blik van Frank over tafel tijdens de avondmaaltijd of het ontbijt of een gefluisterd woord in de keuken, in de gang of het trappenhuis, en zijn vader liep weer in het gareel.

En mocht dat niet afdoende zijn, die ene blik, dan wilde Frank zijn vaders geheugen best opfrissen en hem aan die toevallige ontmoeting in Den Haag herinneren, en aan het Palace Hotel, en aan de jonge vrouw die hem vergezelde en die ongetwijfeld de enige niet was die hem vergezelde op zijn wandelingen door de binnenstad; dit alles indien noodzakelijk in het bijzijn van zijn moeder die tenslotte de bedrogen partij in dezen belichaamde en, laten-we-wel-wezen, pap, het volste recht had te weten wat haar man achter haar rug uitvoerde tijdens zijn lunchpauzes en avonden waarop hij helaas, helaas moest overwerken, de plichtsgetrouwe dienaar van het ministerie die zich bereid toonde om menige vrije avond op te offeren voor het broodbeleg van zijn gezin, en in het belang van het ministerie vanzelfsprekend.

Maar voor een dergelijke ontboezeming van Frank aan de keukentafel had zijn vader begrijpelijkerwijs nooit enige belangstelling aan de dag gelegd. Dat was ook verreweg het beste, voor alle partijen en voor ieders gemoedsrust.

Behalve voor Cathy, die dankzij deze ontwikkeling thuis geen poot meer had om op te staan. Dat was jammer voor haar, heel jammer, vond Frank, je hield je ogen er bijna niet droog bij; maar het was niet anders. Zijn vader kon zich het nodige permitteren en Frank kon zich vrijwel alles permitteren: een situatie waar beiden content mee leken.

Wel waakte Frank ervoor om de boel niet te veel op de spits te drijven – dan kon het zorgvuldig gebouwde kasteel alsnog als een kaartenhuis in elkaar vallen en daar had Frank geen belang bij.

Zo duurde de status-quo voort. Hij kon zijn vader alle hoeken van de kamer laten zien – dreigde zijn vaders oordeel over zijn gedrag negatief uit te vallen dan keek Frank hem indringend aan: 'Zeg pap, kom je er nog wel eens, in het Plaza Hotel, of hoe-heet-'t-ook-alweer, het Palace Hotel?' – als zijn vader het erop aan wilde laten komen. Maar die behoefte had Henri niet na de ene keer dat het erom spande.

'Wat bedoel je, Frank?' had zijn moeder gevraagd.

'O niks,' zei Frank. 'Een binnenpretje. Maar dat kan pap beter uitleggen dan ik.'

'Waar hebben jullie het over?' Chantal keek haar man aan. 'Welk hotel?'

Het had Franks vader enige moeite gekost om zich geloofwaardig uit de situatie te redden. Vanaf dat moment waren de verhoudingen glashelder en had Frank geen kind meer aan zijn vader.

Hij kon zijn vader indien gewenst vernietigen waar hij bij zat. 'Goedenavond, u had om de rekening gevraagd?' Een kwestie van de loop richten en de trekker overhalen, meer niet.

12

'Vind je me nog aantrekkelijk?'

Juliette stond naakt voor hem in de slaapkamer. Het was tien over halfeen 's nachts en ze gingen naar bed: morgen wachtte een drukke werkdag in het ziekenhuis, de zoveelste. Frank was de tel lang geleden kwijtgeraakt: drukke dagen waren onlosmakelijk met zijn leven verbonden, daar bekommerde hij zich niet om.

'Waarom vraag je dat?' antwoordde Frank. 'Twijfel je daar soms aan?'

Juliette deed haar armen omhoog en schudde lichtjes met haar bovenlijf waardoor haar borsten bewogen.

'Meen je dat?' vroeg ze. 'Meen je dat nou echt? Of zeg je dat maar om van het gezeur af te zijn?'

'Natuurlijk meen ik dat, anders zou ik het niet zeggen.'

'Als jij me zo aantrekkelijk vindt, Frank...'

'Ja?' Wat wilde ze kwijt, waar was het wachten op?

'Waarom doen we het dan niet meer?' zei Juliette. 'Waarom neuken we dan niet meer?'

'Jezus, Juliette,' reageerde Frank, 'waar zit jij met je hoofd?'

'Zo'n verrassing kan die vraag niet voor je zijn, Frank. Het is toch geen nieuws wat ik zeg? Ik bedoel, als ik aan jou vraag om iets actiever te zijn in bed krijg ik keer op keer als antwoord dat je nu "geen zin" hebt. Je bent "moe" of "uitgeput", "bekaf", of je kan het "nu even niet opbrengen", met zulk soort kulargumenten kom je aandragen. En ik kan hoog of laag springen maar meestal draai jij je om, omdat je geen zin hebt in "verdere discussies hierover, niet uitgerekend nu" en vervolgens val je in slaap. Dat moet ik je nageven: in het ogenblikkelijk-in-slaap-vallen ben je een kei. Vroeger kon je niet van me afblijven, maar hoe lang is dat geleden? Tegenwoordig zit je bijna niet meer aan me. Jij gaat naar bed, doet de lamp uit, draait je op je zij en valt in slaap.

Soms snurk je erbij,' vervolgde Juliette. 'Want je snurkt, wist je dat? Ja, jij gelooft dat niet, jij zegt altijd dat ík snurk, wat helemaal niet waar is want daar heb ik mijn vriendjes uit de tijd voordat ik jou leerde kennen nooit over gehoord, nooit. En die hadden dat echt wel tegen me gezegd, als het waar zou zijn geweest. Die hebben dingen tegen me gezegd die ze met een gerust hart onuitgesproken hadden mogen laten. Ik snurk niet, al breng je dat te pas en te onpas ter sprake. Maar goed, daar gaat het niet om. Jij snurkt wel, al wil je daar niet aan. En hoe.'

Zo te horen was Juliette voorlopig nog niet klaar met haar tirade, maar begon ze juist op stoom te komen.

'Het is soms niet te harden, het geluid dat jij produceert, Frank. Soms knijp ik je neus dicht, kort, en dan houdt het vanzelf op en kan ik tenminste slapen. Hoewel ik dus iets anders wil. Maar dat schijnt niet tot je door te dringen. Dus wanneer gaan we het eindelijk weer eens doen? Ik wil godverdomme geneukt worden, begrijp je? Zó'n opgave is dat toch niet voor je? Vandaar mijn vraag, vind je me niet aantrekkelijk meer?'

Juliette viel een paar tellen stil na haar uitbarsting. Ze trok een babydoll-achtig dingetje aan, geel met zwarte polkadots van wisselende grootte, waardoor ze iets meisjesachtigs kreeg als Frank zijn ogen toekneep en door zijn wimpers keek, een meisje dat haar zin niet kreeg en pruilde.

Met een ruk tilde Juliette het dekbed aan een hoek op en schoof eronder.

Konden ze dan nu eindelijk gaan slapen? Dat zou Frank een lief ding waard zijn. Juliette had duidelijk gemaakt wat haar hogelijk dwarszat, en Frank zou erover nadenken en er iets mee doen, met haar verwijten, dat sprak vanzelf, maar nu was het laat en morgenochtend moest hij om acht uur op de operatiekamer zijn, dan begon de eerste ingreep. De dag was volgepland en hij had zijn slaap hard nodig. Juliette had een punt, maar de behandeling ervan moest wachten. Hij zou erop terugkomen, op wat ze had gezegd, en dan zou het vanzelf goedkomen, nou ja, 'vanzelf' niet natuurlijk maar ze begreep wat hij bedoelde, toch? Daarom. Hij zou erop terugkomen, hand op het hart, en dan vonden ze een oplossing.

Dat zag Juliette anders.

Hoe lang was het nu geleden, verdomme, dat ze het voor het laatst hadden gedaan?

'Zeg eens eerlijk,' hield Juliette aan. 'Heb jij enig idee? Dik vier weken, als het er geen vijf zijn. Ik sta al vier weken droog. En ik wil niet droogstaan, zo simpel is het. En een relatietherapeut hoeft voor jou niet, dat heb je in het verleden afdoende duidelijk gemaakt. Dus die optie vervalt.

Kijk,' vervolgde Juliette, 'als jij niet wilt, of het niet kan opbrengen, en daar begint het zo langzamerhand ernstig op te lijken, dan vind ik dat ik mijn heil elders mag zoeken. Ik heb er wél behoefte aan, aan seks, en als dat niet met jou kan, om wat voor reden dan ook, plausibel of niet, dan zoek ik het ergens anders, begrijp je? Net zo goed als jij op je werk voor jezelf zorgt, of wilde je dat ontkennen? Je denkt toch niet dat ik op mijn achterhoofd ben gevallen en niets in de gaten heb van wat er achter mijn rug om allemaal speelt?'

Daar had Juliette een punt, moest Frank toegeven.

Franks dubbelleven ging terug tot zijn tijd als dienstplichtig militair. In dienst had hij leren drinken en bleef hij overeind als zo'n beetje iedereen om hem heen van zijn barkruk stortte. Die eigenschap verhoogde het respect dat zijn collega's voor hem aan de dag legden, en ze vroegen hem algauw mee met hun uitstapjes naar de meisjes van plezier.

Woensdagavond was stierenavond, dan gingen Franks maten naar Arnhem om de week 'door te zagen'. Wie op de basis achterbleef en moest wachtlopen hoefde niet op een houtje te bijten, want enkele Arnhemse prostituees kwamen gewoontegetrouw naar de vliegbasis en liepen vlak langs de omheining aan de Deelerwoudseweg, tot bij de grotere gaten in het hekwerk, en wachtten tussen de dennenbomen tot de schildwachten hun ronde deden; die werden dan op hun wenken bediend.

Meestal wist je niet met wie je te maken had, want de straatlantarens stonden ver uit elkaar en sommige werkten überhaupt niet. Daarbij was het een weg die spaarzaam werd gebruikt. Als een jeep passeerde kon je in het licht van de koplampen zien met wie je van doen had, maar die keren waren zeldzaam en je diende snel weg te duiken om niet zelf te worden ontdekt. Contact bleef beperkt tot ge-fluister, een mond die het werk deed en een hand die voor bewezen diensten het geld aannam, in een enkel geval pas na gedane zaken.

Dat Juliette haar heil al geruime tijd buitenshuis zocht en vond en dat er in die zin van gefundeerde klachten wei-nig sprake kon zijn, iets wat voor zijn eigen doen en laten evenzeer gold, sprak ze niet uit en Frank evenmin.

Voortaan zouden Frank en Juliette ieder hun eigen le-ven leiden, en andere partners hoorden daarbij. Omwille van Mees en Karin bleven ze bijeen; zolang de twee thuis woonden was het onnodig een breuk te forceren.

Dat iemand uit zijn directe omgeving informatie over zijn doen en laten naar Juliette had gelekt, was van later zorg. Daar zou hij op termijn wel achter komen, meende Frank, zo ingewikkeld was dat niet.

13

Frank kon genieten van het openknippen en zachtjes lostrekken en kapotscheuren van dingen, van het lostrekken
van de armpjes en beentjes van Cathy's poppen of van het
net zo lang aan de speelgoedbeentjes en -armpjes draai-
en tot ze barstten of in tweeën knapten en afbraken, en
hij ze als kippenbotjes in zijn hand hield – maar dan van
plastic dus.

Of genieten van het stukmaken van iets wat niet van
plastic was.

Op een avond trok Frank een lade van zijn kledingkast
open en rommelde erin tot hij vond wat hij zocht: een van
Cathy's poppen waar het hoofd nog aan vastzat, evenals
de armen en de benen. Een knappe prestatie om zo lang
intact te blijven: zoiets mocht niet onopgemerkt voorbij-
gaan maar verdiende een beloning.

Evengoed, wat heel was kon niet heel blijven.

Hij trok de kleertjes uit die de pop aanhad en pakte

een van zijn scharen en kraste met de punt de ogen uit, en toen dat laatste naar zijn zin niet vlug genoeg ging, pakte hij een grover mesje en wipte de oogjes los. Kijk, stelde Frank tevreden vast, zo kwamen ze ergens.

Hij zocht in zijn la naar het vismes en legde het klaar op zijn bureaublad, liep toen op kousenvoeten naar de deur van zijn kamer en draaide deze op slot. Hij wilde verrassen; niet verrast worden.

Frank nam de pop in zijn armen, streek over haar lange haren en woelde er met zijn vingers door. Het haar voelde stug aan en bleef stug ondanks zijn liefkozen – alsof Cathy's pop zijn inspanningen niet naar waarde wist te schatten maar hem koppig op afstand hield. Ze leek Cathy zelf wel, met dezelfde nukken en grillen en hetzelfde wispelturige gedrag. Stijfkoppigheid? Hij zou Cathy's pop een lesje leren dat haar zou heugen.

Frank legde haar in volle glorie op het bureaublad en verschoof zijn bureaulamp zodat hij goed licht had. Frank was er klaar voor, nu het instrumentarium nog.

Opnieuw streek hij ferm en losjes tegelijk over het haar van Cathy's pop. De haren toonden zich al wat inschikkelijker en tot medewerking genegen en het haar bewoog en golfde met zijn strelingen mee. Als dat zo doorging mocht ze haar haren behouden.

Frank werd van een intens verlangen bevangen, dat niet bij te sturen of te stuiten viel, en hij gaf zich over aan de hunkering die door zijn lichaam voer en vele malen sterker was dan zijn nuchtere zelf, een hunkering die diende gehoorzaamd anders kwamen er ongelukken van, grote ongelukken.

Frank pakte een schaar en knipte in het plastic tussen de beentjes tot de toegang openstond en wrong zich naar binnen, wat enige kracht vereiste want hij had haar niet te ver open willen knippen; je had er weinig aan als het te ruim bemeten werd, en ze spartelde even tegen, maar vergeefs, en hij schoof voorzichtig dieper bij haar naar binnen, zonder zich te bezeren of pijn te doen. Frank zat nu diep in haar en liet zichzelf de vrije loop.

Sneller dan hij had gehoopt was het voorbij.

Frank ontdeed zich van de romp en ruimde de spullen op, zodat luttele minuten later niets aan wat voorafging herinnerde, behalve de pop die hij tussen de beentjes opgeknipt in zijn handen hield.

Het haar van Cathy's pop viel in mooie lokken over haar schouders, en krulde toen hij de pop omhooghield over haar schouderbladen en haar rug. Wat zich had voltrokken had Cathy's pop zichtbaar goed gedaan: ze was er zowaar van opgeknapt, en ze verdiende het om haar haren te mogen behouden.

Frank pakte zijn nietmachine die rechtsachter op het bureaublad stond en niette het plastic tussen haar benen dicht.

Hoe een paar eenvoudige nietjes wonderen konden verrichten.

Hij keek tevreden naar het werk dat hij had verricht, en zag dat het goed was zo. Ze zou niet snel uit elkaar vallen.

Toen pakte hij de romp, schroefde de armpjes en been-

tjes bijna teder los en verdeelde hen lukraak over de dozen met losgeraakte ledematen.

Nu was geen enkele pop meer heel of in de oorspronkelijke staat.

Daarna borg hij de dozen diep weg, nog achter de dozen met vogelbotjes, want hij zou de poppen niet meer
nodig hebben.

Maar hij gooide hen niet weg, ook niet bij de verhuizin-
gen in de jaren die volgden; daar waren de poppen hem
stuk voor stuk veel te dierbaar voor.

Ze waren aan zijn goede zorgen toevertrouwd en hij
zou zich, wat er ook gebeurde, nam Frank zich heilig voor,
blijvend over hen ontfermen. Bij hem waren ze in goede
handen en konden ze zich geborgen weten.

14

De dag begon met onweer en als gevolg daarvan een *panne d'électrique*. Alle lichten vielen uit, net als de digitale wekker op het dressoir in de slaapkamer en de ijskast en het vriesgedeelte beneden in de keuken, en de buitenverlichting: niets werkte meer. Buiten bleef het donker; ook het stallicht boven de garagedeur was uitgevallen en binnen kon Frank zich maar kort elektrisch scheren, leed dat viel te overzien.

Nicole riep of Frank er niet iets aan kon doen: hij was immers handig? Maar Frank kon het euvel niet verhelpen, het licht zou vanzelf weer aangaan. Soms, als ze pech hadden, kon het wat langer duren. Dat had hij eerder meegemaakt met Juliette, toen de lichten onverwachts niet kort na het uitvallen vanzelf waren aangesprongen.

Die keer duurde het aanmerkelijk langer dan gebruikelijk voordat de stroomvoorziening was hersteld, pas tegen halfvijf 's avonds. Het vlees uit de diepvries was deels ontdooid en als ze er niet snel iets mee deden, had Juliette gezegd, konden ze het spul weggooien, dat laatste was bij nader inzien de beste oplossing. Opnieuw invriezen was geen optie, tenzij Frank een fikse voedselvergiftiging wilde riskeren, dan moest hij de boel vooral bewaren.

Frank had geen aanleiding gezien haar tegen te spreken en was naar buiten gelopen om de pakken in de vuilnisbak te gooien die in de schuur stond. Van dat vlees waren ze af.

Terwijl ze wachtten tot de elektriciteitsvoorziening hersteld zou zijn, had Juliette het een geschikt moment gevonden voor nader overleg. 'Over een paar dagen ben ik vertrokken met de kinderen, thuis komt er van bijpraten en de zaken op elkaar afstemmen sowieso nooit veel terecht, en er zijn toch een paar dingen die ik met je wil doorspreken, dus laten we dat nu doen, nu het kan en we er even de tijd voor hebben. Mee eens? Karin en Mees zijn buiten, die blijven daar nog wel even slepen met takken en stukken hout voor de barbecue dus...'

'Waar wilde je het met me over hebben?' vroeg Frank.

'Dat zal ik je vertellen,' zei Juliette, en ze schoof met haar stoel dichter naar de keukentafel toe.

Het kwam erop neer dat Mees en Karin binnen afzienbare termijn zouden uitvliegen. Dat overwegend had Juliette besloten om een streep te zetten onder haar huwelijk met Frank. Het was mooi geweest tussen hen, al had ze nergens spijt van.

Bijna nergens spijt van.

'Zeg nou zelf,' opperde Juliette, 'zie jij ons met z'n

tweeën voortmodderen in Den Haag, jaar na jaar na jaar? Dacht het niet toch? Nee, serieus... Of zie jij wel een toekomst voor ons, Frank? Mooi. Dan zijn we het tenminste ergens over eens. Dat is een glaasje wijn waard, dat jij en ik het met elkaar zowaar ergens over eens worden. Goed dan, dat betekent dat we te zijner tijd met elkaar om de tafel moeten zitten over hoe we onze zaken regelen, een scheiding, en hoe we een en ander financieel in het vat gieten.'

Wat volgde was een vrij lang gesprek dat niet helemaal in goede harmonie verliep. Om niet te zeggen dat de sfeer gaandeweg omsloeg.

Ten slotte maakte Juliette, uitgepraat, de balans op.

'Zal ik je eens wat zeggen, Frank?'

Frank antwoordde niet, dat leek hem niet nodig. Juliette zou vast en zeker zeggen wat ze op haar lever had, daar had ze Franks toestemming niet voor nodig.

'Ik walg soms van je,' zei Juliette.

Beiden bleven een poos stil. Ze hadden zulke twistgesprekken vaker gevoerd, zonder dat het tot veel praktische consequenties leidde. Dat leek dit keer anders te liggen.

Juliette keek langdurig naar het houten plafond waar niet veel aan te ontdekken of te bewonderen viel.

'Dat is wat ik voel als ik naar je kijk of aan je denk of je ruik. Je zoekt het maar uit, wat mij betreft. Ik ben dolblij dat ik over een paar dagen kan vertrekken.'

Juliettes openhartigheid had haar voordelen. Vanaf nu wist Frank waar hij aan toe was en wat hem te doen stond.

Met Juliettes vertrek zou niet alle 'fun' uit zijn leven verdwenen zijn. En tot een definitieve breuk zou het ook dit keer niet komen, veronderstelde Frank. De scherven vielen meestal opnieuw te lijmen, al bleef je de breuklijnen zien en lekte de gerepareerde bloemenvaas of kruik.

Dat Juliette van hem walgde kon Frank zich indenken. Dat deed hij zelf soms ook.

Zo dacht hij nog geregeld aan de eerste keer dat hij Mees naar voetballen had gebracht, op een zaterdagmiddag. Juliette had hem op het hart gedrukt om vanaf de zijlijn met de andere vaders naar de verrichtingen van zijn zoon te kijken en hem aan te moedigen of op zijn minst enige belangstelling voor Mees' verrichtingen te veinzen – 'Zo'n moeite is dat toch niet?' –, maar Frank had Mees afgezet bij de ingang van het sportcomplex en was doorgereden naar Scheveningen.

'Mees,' had hij gevraagd voordat hij wegreed, 'hoe laat is je wedstrijd ongeveer afgelopen?' Mees had het zo goed mogelijk voor zijn vader uitgerekend, met inbegrip van de eventuele nazit na een overwinning.

'Goed, dan kom ik je rond die tijd halen. Denk erom, mondje dicht tegen je moeder, hè? Wij begrijpen elkaar. Niks zeggen, anders komt er gedonder van thuis, dat weet je, en dan is mama niet te harden.'

Mees had geknikt, hij zou niks zeggen, beloofd, hand-op-het-hart, en rende toen het brede pad naast het hoofdveld op want hij had een paar teamgenoten gespot.

Toen Frank zijn zoon bij de poort ophaalde, gleed

een glimlach over het gezicht van Mees. Ze hadden gewonnen, dat gebeurde niet elk weekend, winst was een zeldzaamheid, en daarom had de feestelijke nazit lang geduurd. Dat zijn vader ruim na het afgesproken tijdstip opdook, was geen punt. Frank had best wat langer kunnen wegblijven, wat Mees betreft, om de dingen te doen waar zijn vader de voorkeur aan gaf boven het langs de lijn staan en toejuichen van het elftal. Mees had zijn vermoedens over wat zijn vader elders uitspookte, maar die sprak hij niet uit.

'Nou, je hebt het met eigen ogen gezien, hè pap?' had Mees gezegd en hij knipoogde naar zijn vader. 'Gewonnen!'

Thuisgekomen repte Mees met geen woord over Franks afwezigheid. Dat was zo mooi van Mees, vond Frank; ze begrepen elkaar zonder dat ze daar veel moeite voor hoefden te doen. Een blik van verstandhouding volstond. Ideaal, zo'n kind. Sindsdien was Frank vaker met Mees meegegaan, voetbal kijken.

Nee, dat Juliette soms van hem walgde kon hij haar met goed fatsoen nauwelijks kwalijk nemen.

15

Woensdagochtend reden Nicole en Frank opnieuw naar Lézignan. Tussen de dorpen lagen wijngaarden en bosschages, met her en der een ruïne van een molen of een hoeve of de restanten van een vestingwerk. De riviertjes die ze passeerden waren drooggevallen, je kon door de bedding lopen.

Met de auto Lézignan in rijden was onbegonnen werk. De stad zat verstopt, je moest ver buiten de bebouwde kom parkeren op een provisorisch aangegeven terrein, en teruglopen naar het centrum kostte de nodige tijd.

De markt was in volle gang. De Avenue de la République stond boordevol kramen: van groente en fruit tot kleding, kinderspeelgoed, tassen en meubels, en schoenen en slippers en gordijnstof en kaas en wijn, en nog meer fruit, spotgoedkope horloges, prullaria en een kinderwagen van vooroorlogse makelij. Voor de boulangerie was een kraam waar je bosbessentaart kon kopen die in de zon lag te sudderen. Aan klandizie geen gebrek, het was hoogseizoen.

Al snel scheidden hun wegen met wederzijds goedvinden. Nicole wilde op haar gemak de kramen langs; Frank wees haar op een *Tabac-Presse* waar hij een krant wilde kopen om daarmee op het terras van het café ernaast plaats te nemen. Dan kon ze in alle rust haar gang gaan en zou hij haar vanzelf zien verschijnen, was dat iets, kon ze zich daarin vinden?

Even later was Nicole opgeslokt in de menigte en leek ze, als Frank een tel van de ochtendkrant opkeek, een herinnering.

Met zijn *café au lait* vormde Frank een minderheid op het terras: om hem heen zaten de meeste Fransen aan de wijn en de Ricard.

Na een poosje kwam een vrouw aan de tafel naast hem zitten, een Nederlandse, van een jaar of vijfenveertig. Haar man, die achter haar aan sjouwde, zette de tassen bij haar op de grond en liep verder, hij moest bij *La Poste* zijn, zei hij, postzegels halen, en zou haar straks hier zien; het kon even duren, want er stonden meestal rijen voor de loketten op woensdag marktdag.

Al snel raakten ze – het kon moeilijk anders met de tafels vlak naast elkaar – in gesprek. Marja, zo heette ze, had iets op haar lever wat ze nodig kwijt moest. Woonde hij hier? Nee, antwoordde Frank, hij was op vakantie. Gold dat ook voor haar?

Nee, zij woonde hier, met haar man Arnold, die nu naar het postkantoor was.

'Een tweede huis?' vroeg Frank belangstellend.

Niks tweede huis, ze woonden hier echt. Marja noemde de de naam van een plaats die Frank niet eerder had gehoord.

Ze had een getekend gezicht en lang donker haar dat rommelig om haar gezicht hing.

Hoe lang ze hier al woonden, wilde Frank weten.

'Negen jaar.'

'Dus het bevalt goed.'

Nee, het beviel niet, vertelde Marja, of niet meer. Eerst wel, héerlijk, met dat klimaat, bijna altijd zon, de Middellandse Zee op een halfuurtje rijden met de auto, heerlijk. Maar na negen jaar... Ze wilde terug, vertelde Marja, liever vandaag dan morgen.

Frank vroeg naar het waarom van die omslag.

'Heimwee,' zei Marja, 'naar mijn familie en vrienden. De Veluwe, Apeldoorn. Daar woonden we vroeger. Arnold heeft er geen last van, die ziet niks in een terugkeer naar Nederland.' Ze zuchtte diep. 'Ik hou het hier bijna niet meer uit. Maar met de crisis en de ingestorte huizenmarkt kan het knap lang gaan duren. Ons huis staat al driekwart jaar te koop en er komt nauwelijks iemand op af, ook al hebben we de vraagprijs een paar keer flink naar beneden bijgesteld. Maar serieuze belangstelling? Ho maar.'

Ze keek voor zich uit, en toen omhoog, naar de daken en de wolkeloze lucht. Het leek erop dat er spoedig tranen zouden komen, maar die bleven vooralsnog binnenboord. 'Weet je, ik hou het hier gewoonweg niet meer uit. Ik kan wel janken af en toe.'

Er klonk een schrille sirene boven de daken die het

meeste weg had van een luchtalarm. Het was twaalf uur. De markt was afgelopen.

Niet lang daarna kwam Nicole opdagen. Gelet op de volle tassen was ze aardig geslaagd met inkopen doen.

Frank zwaaide.

Nicole zwaaide flauwtjes terug. Erg opgetogen leek ze niet.

'Kom,' zei Marja, 'ik stap maar eens op, naar La Poste, Arnold tegemoet. Hij had onderhand toch terug kunnen zijn. Nog een prettige vakantie verder.'

Enkele marktlieden waren vroeg met inpakken begonnen. De eerste bestelwagens reden stapvoets door de menigte heen de hoofdstraat uit.

'Ik zou wel wat lusten,' zei Nicole, 'één glaasje wijn.' Ze konden niet al te lang blijven zitten: bij een viskraam had ze een fors stuk tonijn gekocht, vers afgesneden, en dat bleef niet eeuwig goed in de hitte en de zon.

Ze pakte de eerste tas en vouwde iets uit wat in Frans krantenpapier zat opgerold. 'O, ik ben zo goed geslaagd, Frank, zo leuk!'

Ze rolde de krantenpagina's helemaal open en hield een antiek fotolijstje omhoog met een soort hertengewei aan de bovenkant van het frame. 'En,' zei ze, 'wat vind je ervan? Geef toe, zoiets kun je toch niet laten liggen? En het kostte nog geen knoop ook.' Zonder Franks antwoord af te wachten diepte ze opnieuw iets uit haar tas op. Ditmaal kwam er een set drinkbekers tevoorschijn. 'Hoe vind je ze?'

Toen Frank niet snel genoeg met enig enthousiasme over de brug kwam zei Nicole: 'Dringt het eigenlijk wel eens tot je door wat ik tegen je zeg?'

Ze zette de tassen op de grond. De rest van haar aankopen kwam later wel.

'Wie was dat trouwens? Eerlijk is eerlijk, Frank, jij weet ze wel uit te kiezen, hoor.'

'Wie bedoel je?'

'Ja, wie zou ik bedoelen, die vrouw met wie je druk in gesprek was, die met dat rampzalige haar. Jij kiest ze wel uit, hè.'

—

Toen ze de volgende dag, na een lange wandeling, tegen tweeën via Olonzac terug wilden naar huis, was de markt afgelopen. Het was plezierig druk op de boulevard Gambetta, en ze besloten een lunchpauze in te lassen. Ze konden de auto evenals een dag eerder in Lézignan niet in het centrum kwijt en liepen door de straten en straatjes terug naar het *centre ville*.

Voor hen sloeg een jonge vrouw gehaast een zijstraat in, de rue de la Poulo Grasso, en bleef staan. Verderop zat een jong katje ineengedoken. De 'rue' was meer steeg dan straatje; Frank kon zien waar het riool vroeger liep.

De vrouw bukte, zette haar boodschappentassen op de grond en tikte met haar nagels op de keien. Het katje sloop argwanend dichterbij.

'Ah, *mon petit*,' zei ze. 'Mon petit.'

Het katje schuurde een paar keer met zijn kopje langs haar knie, en ging er toen vandoor en verdween tussen twee gehavende huizen in een *impasse*. Er was niets mis met haar knie, maar het katje zat niet om gezelschap verlegen.

'Ah, *mon pauvre.*'

De vrouw pakte haar tassen op, keek een ogenblik tussen de scheve gevels door, maar toen het katje niet tevoorschijn wilde komen vervolgde ze haar weg, minder gehaast nu.

'Zullen we doorlopen?' zei Nicole. 'Ik rammel, van die wandeling.'

Na de lunch wilde Frank juist voorstellen om af te rekenen en op huis aan te gaan, toen van de boulevard Victor Hugo een gezin kwam aangelopen: een jonge man, zijn vrouw en hun baby in een kinderwagen. Bij de rotonde verderop wilden ze linksaf een zijstraat in toen er vanuit een bar luid naar hem werd geroepen en ze hun wandeling onderbraken. De jonge man riep iets terug, zei iets tegen zijn vrouw, en haastte zich via het terras naar zijn vrienden in het café, op nog geen vijftig meter afstand van het terras van Café de la Poste, waar Nicole en Frank zaten.

Zijn vrouw bleef met hun kind geduldig wachten bij de rotonde. Zo lang zou het toch niet duren? Bovendien, de baby huilde niet en dat vergemakkelijkte het wachten.

Ze stak een sigaret op en toen ze die had opgerookt nog een, en toen die ook was opgerookt en ze de peuk over de straatstenen wegschoot riep ze iets op luide toon naar het café, een verwensing die onbeantwoord bleef.

Ze keek in de kinderwagen, kwam tot een besluit en reed de kinderwagen het terras op, en zette hem pal voor de ingang neer zodat niemand het café in of uit kon, wiegde de wagen een paar keer heen en weer – de baby huilde nog altijd niet – en liep toen door en stak zonder op of om te kijken naar mogelijk naderend autoverkeer de rotonde over en verdween in een onaanzienlijke zij-straat.

'Hoe vind je zoiets?' zei Nicole.

'Kom,' stelde Frank voor, 'laten we gaan.' Hij wees naar de lucht. 'Het begint te betrekken.'

Over een uurtje zou Olonzac er weer even in zichzelf gekeerd bij liggen als de rest van de week, en Frank had geen behoefte om daar getuige van te zijn.

Terwijl ze door de velden en wijngaarden terugreden, nam het licht snel af. De zon had het nakijken, want er spoel-den donkere wolken uit de richting van de Pyreneeën aan. Het kon bijna niet anders of het zou spoedig regenen.

Tussen de wolken verscheen een eenmotorig sport-vliegtuig dat moeite had om tegen de wind op te tornen en vooruit te komen.

Frank gaf minder gas, ietsje minder maar, zodat het Ni-cole niet zou opvallen. Hij hield meer van de regen dan van zon en verheugde zich in het vooruitzicht het laatste stuk naar het vakantiehuis in de regen af te leggen, met de ritmisch zwaaiende ruitenwissers voor zich, en na aan-komst de boodschappen haastig naar binnen te brengen en dan de voordeur op slot te draaien. Daarna kon het wat hem betreft niet hard genoeg regenen.

Het onweer had dagenlang gedreigd, maar nu was het raak en goed ook.

Zonder mededogen kwam het neer op de bergtoppen en op de hoogvlakte, en naderde toen enigszins uitgeraasd Mont Céleste en het vakantiehuis van Frank en Nicole: een vuist die hard op het dak sloeg om een doorgang te forceren en de terrastafel omkegelde en de terrasstoelen een hoek in joeg. Het terras van de villa kwam blank te staan en het water glipte onder de voordeur door naar binnen.

Het was een iets grotere hoeveelheid water dan waarop Frank had gehoopt, maar daar klaagde hij niet over.

—

Een dag later oogde de natuur opgefrist, ook dat.

'Wat vind je,' zei Nicole toen de plavuizen op de begane grond waren schoongemaakt en opdroogden, 'zullen we naar Cesseras lopen?' Cesseras bevond zich op loopafstand van hun vakantiehuis: je ging de berg op, door een *gorge* heen en dan de berg af. Ze waren er vaak doorheen gereden, op weg van en naar Mont Céleste, maar ze waren nooit uitgestapt.

Het leek Frank geen slecht idee om Cesseras uitgebreider aan te doen. Wie weet ving hij een glimp op van de man die hij had gemeend te herkennen, toen ze achter de tankwagen vastzaten.

Zo'n tweeënhalf uur later stonden ze op het dorpsplein, de place de la République. Er was één café, Cave Basse, en daar namen Nicole en Frank plaats op het terras naast de waterpomp, onder de platanen waarin een snoer met feestverlichting hing waaraan de nodige gloeilampen ontbraken. De kans dat er spoedig vervangende lampen werden ingedraaid, leek gering. Er lag een tapijt bladeren op de grond en als de wind die optilde zag Frank hondenuitwerpselen.

Dat mocht de pret niet drukken: ze waren lopend, dus hij kon drinken.

Buiten hen zaten er twee mannen op het terras die elkaar weinig te vertellen hadden. Ze bestelden een *bière*, dronken deze zwijgend op en bestelden een nieuwe: in hun stilte waren ze niet alleen.

Nicole hield het spoedig voor gezien en wilde aan de wandeling naar huis beginnen, grotendeels bergop en dus zwaarder; maar Frank begon het steeds meer naar zijn zin te krijgen en ze bleven op diens uitdrukkelijke wens zitten.

Het wachten werd beloond.

Na verloop van tijd kwam een vrouw van een jaar of vijfendertig het plein op. Ze droeg een korte groene broek en een blouse die laag sloot. Ze probeerde een praatje te maken met de twee mannen op het terras – je mocht aannemen dat haar verschijnen de twee tot een onderonsje kon verleiden – en toen dat niet lukte deed ze een poging bij de uitbater van het café, maar ook deze toonde zich weinig toeschietelijk.

Ze liep het terras af, stak het plein over naar het grote huis op de hoek waar blijkens het opschrift op de gevel vroeger een *charcuterie* was gevestigd, bonkte op de voordeur, keek tussen de luiken door naar binnen of er iemand was; en toen dat niet het geval bleek probeerde ze hetzelfde een paar huizen verderop, en daarna bij het huis met de lichtgroene luiken en bij het huis met de haveloze garagedeuren: stuk voor stuk zonder succes, hoe stevig ze ook op de ramen en luiken klopte, zo hard dat het over het plein klonk, tot in de straten en straatjes die uitkwamen op het plein.

Ten slotte liep ze de rue des Barris in – de twee mannen op het terras keken haar niet na, evenmin als de uitbater die opnieuw naar buiten was gekomen – en verdween uit het straatbeeld.

'Laat ik je één ding vertellen,' zei Nicole. 'En dat is dat ik hier nooit wil wonen, nóóit. Hoor je me, Frank? Dat gaat niet gebeuren. Nooit, van z'n lang zal ze leven niet.'

Frank antwoordde niet, want aan de overkant van het plein verscheen de man met de sokloze voeten in de sandalen in de deuropening van een van de haveloze huizen. Maar voordat Frank kon opstaan en naar hem toe kon lopen, was de man verdwenen.

'Zullen we gaan?' stelde Frank voor. 'Het begint fris te worden.'

'Fris?' zei Nicole. 'Waar heb je het over?'

16

De tweede keer dat Frank Versteeghe in de directe nabijheid van zijn huis Van Halsteren ontmoette, kwam
het opnieuw tot een kort gesprek. Van Halsteren was
een man van weinig woorden, iets waar Frank graag in
meeging. Hoe korter van stof hoe beter, wat Frank betrof. Het gezin Versteeghe was inmiddels verhuisd naar
een grotere woning aan de Sportlaan. Dat Van Halsteren
weet had van zijn nieuwe adres verbaasde Frank niet;
Van Halsteren had hem tenslotte ook de eerste keer weten te vinden.

'Wie zegt me,' zei Frank, 'dat u bent voor wie u zich
uitgeeft, "Van Halsteren"? Uw naam kwam niet voor in
ons bestand. Voor hetzelfde geld bent u een ex-patiënt
van een collega die zijn gram komt halen omdat er iets
is misgegaan. Dat kan, die dingen gebeuren helaas, medische fouten, maar daar kan ik weinig aan doen en als u
een klacht heeft...'

Frank keek naar de koele grijze lucht boven de Sportlaan. Er was regen voorspeld, maar vooralsnog bleef het droog.

'Hoe ziet uw agenda eruit, de komende dagen?'

'Niets bijzonders,' zei Frank, verrast door de directheid van de vraag. 'Behalve dat ik het weekend naar Hargen ga. Hargen aan Zee, in Noord-Holland, zaterdagmiddag.'

Met zijn attachékoffer had Van Halsteren het meest weg van een deurwaarder die bij een paar laatste adressen langs moest, daarna zat zijn dag erop en kon hij naar huis; en Frank ontspande iets.

'Hargen,' herhaalde Van Halsteren, 'dat ken ik. Daar ben ik wel eens geweest. Niet vaak, want zo groot is dat hele dorp niet. Wat ligt er vlakbij? Groet, een ander gehucht. Dus de reis voert naar Hargen? Misschien komen we elkaar daar nog eens tegen, wie weet.'

Het ontging Frank wat Van Halsteren bedoelde, want hij werd een tel afgeleid door iemand die over de stoep naderde – en het was te laat om Van Halsteren ernaar te vragen, want tot Franks verbazing was hij weg; van het ene op het andere ogenblik uitgewist. Had hij Van Halsteren werkelijk gezien en gesproken, of was diens verschijnen en hun korte gesprek een zinsbegoocheling en nam zijn verbeelding een loopje met hem?

Het was een patiënt van een collega van Frank die verderop aan de Sportlaan woonde. 'Wat staat u nou te mompelen?' zei hij. 'Daar moet u mee oppassen, dokter, met dat hardop in jezelf praten want dat is een teken dat je ouder wordt, dat weet u, hè?'

Met een dof geluid kwam de biobak aan de stoeprand

neer. Die waren onmiskenbaar echt, de biobak en de trottoirtegels.

Het was ophaaldag, de wagen kwam doorgaans vroeg, en Frank draaide zich om en haastte zich door het huis naar de achtertuin, waar vier vuilniszakken wachtten die buiten moesten gezet. Miste hij de vuilniswagen dan zaten ze een week lang met de troep. Juliette had er al eens naar geïnformeerd: 'Wat zit er in jezusnaam in die zakken, Frank, dat het zo stinkt? Het is bijna niet te harden als je in de tuin zit, die walm, en de wind staat de verkeerde kant op. Wat gooi je er toch steeds in?'

Zover mocht het dit keer niet komen, gelet op het verwachte aanhoudend warme weer. Het was een van Franks huishoudelijke taken, het op tijd buitenzetten van de vuilnis, en die simpele taak 'was toch niet te veel gevraagd', had Juliette geopperd, 'dat vergt toch geen offer van je, of een bovenmenselijke inspanning?'

De vuilnis buitenzetten was een klusje van niks, dat was Frank roerend met haar eens, het was alleen zaak om het tijdig te doen, anders zou de boel ruiken en konden er vragen komen over de inhoud van de zakken, en wie zat daarop te wachten?

—

'Zeg Frank, iets heel anders,' was Juliette op een avond begonnen, toen de kinderen naar boven waren.

'Vertel,' zei Frank, 'wat wil je kwijt?'

'Ik heb vanmiddag vrij genomen om eens aan een grote schoonmaak hier in huis te beginnen. Dat was hard nodig. De kinderen zijn erg, maar jij kan er ook wat van. Ben je op je werk ook zo? Ik mag toch hopen van niet.'

'Ik heb je toch gezegd dat ik het zelf zou doen, de boel bijhouden? Daar hebben we het toch uitgebreid over gehad?'

'Dat kan best zijn,' zei Juliette, 'alleen, je doet het niet. Maar goed, daar wilde ik het nu niet met je over hebben, want bij het opruimen van je bureau, de bureauladen... Ja, maak je geen zorgen, ik heb alles zo goed mogelijk teruggelegd, precies zoals ik het gevonden heb; maar bij het opruimen van de kasten kwam ik je verzameling tegen, de sigarendozen en kistjes en schoenendozen waarin je die botjes van vroeger bewaart, maar ook een grote, zware doos, een stuk zwaarder dan die andere, dat ik denk: wat zou daar in godsnaam in zitten, wat bewaart Frank hierin, dus ik maak 'm open... Ik wist dat je een schedel bewaarde, van vroeger, dat je die al heel lang had, nog uit je jeugd. Maar dit waren er drie. Je hebt dríe van die dingen. Sinds wanneer is dat? En hoe kom je er eigenlijk aan?'

Frank had rekening gehouden met de mogelijkheid dat deze vraag op een dag gesteld zou worden en hij had zijn antwoord klaar: via een bevriende collega uit het ziekenhuis in Roemenië.

Wel begreep hij dat hij nog beter op zijn tellen zou moeten passen dan hij gewend was te doen. Hij hield er een liefhebberij op na waarbij je je niet het minste foutje kon veroorloven. Eén vergissing, hoe miniem of onbeduidend ook, en je was gezien.

'Nog iets anders, Frank, wat ik ook vond, helemaal achteraan in een la... een stel knuffels en oude poppen, met half vergane kleertjes aan... en helemaal aan flarden. Alsof de hond ze te pakken had gekregen. Hier en daar hing het met nietjes zo'n beetje bij elkaar, maar veel was er niet van over. Waar heb je dát vandaan, Frank? Het rook nogal bovendien, een onaangename nare lucht.'

Frank legde uit hoe hij daaraan kwam, althans dat deel van de verklaring waarmee hij zichzelf niet in de wielen zou rijden.

'Kan dat niet weg,' zei Juliette, 'die ouwe troep? Wat moet je ermee? Het valt van ellende uit elkaar en je hebt er niets meer aan. Zullen we dat dan weggooien? Dan zijn we daar tenminste van af.'

Wat Juliette niet wist was dat hij zijn bonte verzameling ook na zijn jeugdjaren had uitgebreid.

Gedurende zijn militaire diensttijd was zijn peloton voor zes weken gestationeerd op de Vliegbasis Deelen, op de Veluwe, een periode die met nog eens drie weken zou worden verlengd. Er was een tekort aan bewakingspersoneel, en het onderdeel waartoe Frank behoorde werd opgeroepen om de manschappen van de Luchtmacht op Deelen ondersteuning te verlenen.

Veel werd er niet van hen gevraagd, en in de vrije tijd die Frank tot zijn beschikking had stroopte hij het uitgestrekte natuurgebied af op zoek naar krengen en botten en botjes van dieren die aan zijn verzameling ontbraken. Het kostte soms moeite om zijn vondsten de trein in te krijgen zonder dat een van de op de perrons aanwezige militairen nadrukkelijk informeerde naar wat hij toch meevoerde in die plastic tassen.

Er was één lichtpuntje, dat Frank geruststelde. Juliette was niet begonnen over het dienstwapen en ook niet over de doos patronen die hij nog overhad. Die had hij indirect ook te danken aan de weken op Vliegbasis Deelen. In het tweede weekend van november, Frank was met verlof in Den Haag, was er ingebroken in een wapenkamer op de kazerne.

Nog dezelfde nacht was de Koninklijke Marechaussee een onderzoek gestart, maar na vierenhalve maand concludeerde deze dat de daders niet konden worden achterhaald; de gestolen wapens en munitie waren vrijwel zeker doorverkocht en moesten daarmee voor de krijgsmacht als verloren worden beschouwd. De zaak werd gesloten tot zich nieuwe aanwijzingen zouden aandienen die heropening van het dossier rechtvaardigden.

De marechaussee had ongetwijfeld diepgaand spitwerk verricht, maar dat nam niet weg dat Frank vermoedde wie de daders van de wapendiefstal konden zijn. Op een avond tijdens het wachtlopen had Frank een tweetal maten aangesproken die hij goed kende, en hij kreeg een bevestiging van zijn veronderstelling dat het om een *inside job* ging. Vanzelfsprekend deed Frank geen aangifte van de diefstal bij de commandant. Stel je voor, het kwam niet bij Frank op om zijn kameraden te verlinken, waar zagen ze hem voor aan, ze kenden hem toch? In ruil voor een kleine te-

121

genprestatie uiteraard, zoiets was niet te veel gevraagd, daar zouden de plegers van de inbraak ongetwijfeld het redelijke van inzien.

Zo kwam Frank aan zijn pistool. Eén van de uit de wapenkamer ontvreemde dienstwapens: een Walther negen millimeter, een wapen dat bij de Luchtmacht in gebruik was; maar het leek Frank raadzaam om over de precieze herkomst van het vuurwapen verder geen indringende vragen te stellen.

En hij kreeg munitie, genoeg om een poos mee vooruit te kunnen als je geen al te rare dingen deed. Je kruit lang drooghouden, daar ging het om. Mocht de munitie onverhoopt opraken, dan wist Frank bij wie hij terecht kon.

Het deed hem goed om het wapen in zijn bezit te weten. Hij bewaarde wapen en munitie veilig gescheiden van elkaar en haalde het zelden tevoorschijn. En toch, sinds hij over het wapen beschikte, voelde Frank zich een ander en beter mens, opgeruimder. Het bezit van de Walther gaf hem het gevoel dat hij aan de touwtjes trok, en niet een ander.

Toen Frank na anderhalf jaar de krijgsmacht verliet, keek hij met voldoening op zijn periode in dienst terug. Hij kon het iedereen aanbevelen. Zelf zou hij het gaan missen, vermoedde hij. Zijn diensttijd had hem meer gebracht dan hij vooraf had durven hopen.

De laatste avond in actieve dienst haalde hij zijn machinepistool, dat hij de volgende ochtend moest inleveren, uit elkaar – en zette het weer in elkaar, hoewel hij

de uzi 's middags al een paar keer grondig had schoongemaakt en ingevet.

Frank vulde het magazijn, schoof het in de handgreep,
haalde het eruit en liet de patronen uit het magazijn
springen, wat een plezierig ijzig geluid voortbracht; en hij
vulde het magazijn opnieuw.

Het kostte hem moeite om afscheid van het wapen te
nemen; ze zouden elkaar lang niet meer zien, hooguit als
hij op herhaling ging.

Juliette had de Walther naar alle waarschijnlijkheid niet
gevonden. Ze begon niet over het vuurwapen of over de
patronen toen de kinderen naar bed waren, en ook niet
toen ze zelf naar boven gingen. Niet al zijn geheimen waren geopenbaard.

Terwijl Juliette naar de badkamer verdween, liep Frank
stilletjes zijn werkkamer in, pakte het wapen en een doos
patronen en laadde het magazijn. De Walther lag goed in
zijn hand en voelde vertrouwd aan, en Frank ontspande
iets.

—

Die zaterdag reed Frank Den Haag uit en halverwege de
middag stopte hij even voorbij Groet, in Camperduin.

Camperduin was een Wassenaarse Slag in-het-klein.
Een rotonde met snackbar De Rotonde en hotel-restau-
rant De Campernol, dat gesloten was.

Voor hem, op een hoogte, lag strandpaviljoen Minkema. Links van Minkema eindigde de duinenrij. Rechts van het paviljoen begon de Hondsbossche Zeewering, die het laaggelegen polderland achter de dijk tegen de zee moest beschermen: alles bijeen een overzichtelijke wereld.

Frank sloot zijn auto af en liep naar boven, naar het strandpaviljoen. De zon scheen, zoals eerder in de week was voorspeld. In de verte voer een vrachtschip dat niet vooruit leek te komen.

Aan de voorkant van het paviljoen ging de hoogte over in een geasfalteerde helling die steil omlaagdook, de diepte in, naar het strand en de zee en de strekdammen.

Frank was vroeg, zijn vrienden uit zijn studietijd moesten nog komen – of misschien waren een paar vrienden eerder gekomen en maakten die voorafgaand aan de samenkomst een duin- of strandwandeling, dat wist Frank niet – en het was rustig in het paviljoen op deze uitgelezen dag die niet tot binnen zitten noodde. Af en toe klonk er Duits om hem heen, iets wat hij van het zomerseizoen in Scheveningen gewend was en hem niet stoorde.

Frank had alle tijd en hetzelfde gold voor de eigenaar van Minkema, Jos.

'Minkema?' zei Jos. 'Nee, die leeft niet meer. Minkema is alweer een poosje dood. Een doorzetter eersteklas, want hoe vaak dit paviljoen niet is verwoest, dat-wil-je-niet-weten. Het is een wonder dat het nog bestaat. In de oorlog, toen de Duitsers afweergeschut op het dak plaatsten, werd Minkema door de Engelsen gebombardeerd. En grondig ook, want Minkema kon opnieuw beginnen;

en tijdens de Watersnoodramp maakte de zee gehakt van het paviljoen. Tot voorbij Bergen vonden ze de stukken hout terug. Alleen de grote stalen kachel stond nog in de buurt, beneden aan het strand.

Toch begon hij opnieuw, Minkema, die viel niet klein te krijgen. Later legde brand de boel tot twee keer toe in de as, en toch werd de tent keer op keer herbouwd.'

Maar Minkema was dus verleden tijd, begreep Frank.

'Begin dit jaar,' vertelde Jos, 'kocht ik de zaak, nadat de failliete boel twee jaar had leeggestaan. Ik heb de hele bende laten verbouwen, alles eruit en nieuw erin. En nou maar hopen dat het lukt, en dat de mensen de weg hier-naartoe weer weten te vinden.

Kijk nou zelf,' zei Jos en hij wees uit het raam naar de Noordzee, 'dit is toch een paradijsje hier, zeg nou zelf? Je reinste paradijs.'

Jos verontschuldigde zich, hij moest het een en ander re-gelen, voorbereidingen voor de borrel en het diner van-avond, en Frank verliet het paviljoen en liep de duinweg af naar het weiland waar hij zijn auto had geparkeerd. Het duurde nog anderhalf uur voordat de reünie zou be-ginnen.

In het weiland naast het parkeerveld graasde een kudde schapen. Twee schapen beleefden een vluggertje. Na de daad graasden de twee dicht bij elkaar verder alsof het de dierlijke variant van een-sigaretje-roken-na-afloop betrof.

Frank startte de motor en draaide de smalle weg van Camperduin naar Groet op en kwam langs Hargen. Het gehucht had niet veel om het lijf; een rij huizen aan het Warme Geestpad. Op de hoek van de straat had je Granny's Corner, Bed & Breakfast. Ernaast stond zomerhuis 'Zon en Zee' te huur.

Hargen was geen Napels. Had je Hargen gezien, dan nog diende het sterven te worden uitgesteld.

Frank reed door naar Hargen aan Zee in de hoop dat dat niet zou tegenvallen.

Een brede asfaltweg voerde door het duingebied naar een heuvelrij, om een paar kilometer verder te eindigen bij een immens parkeerterrein. De duinen maakten zich hoog en breed en waren grotendeels met dennen en sparren begroeid.

Een verhard looppad leidde langs houten barakken, die aan de oorlog deden denken. Verderop boog het pad scherp naar links en stond Frank plotseling oog in oog met het strand en de zee, en een met mos bedekte strekdam die augurkachtig in zee liep.

Opzij van de strandopgang lagen de fundamenten van twee strandpaviljoens en een Reddingspost; maar de gebouwen waren afgebroken en een wederopbouw kon lang op zich laten wachten.

Op het strand probeerde een man met zijn dochter een vlieger op te laten; erg lukken wilde het vliegeren niet ofschoon er wind genoeg voorradig was en tot blazen bereid.

In de verte kon Frank Den Haag zien liggen, ver voorbij Bergen en IJmuiden en voorbij tal van andere plaatsen en plaatsjes aan de kust. Dat kon in werkelijkheid misschien helemaal niet, Den Haag vanaf Hargen aan Zee zien liggen, daar was de afstand immers veel te groot voor, en toch was het zo.

Toen moest hij aan Van Halsteren denken en of hij die wel of niet gezien had, en aan de doffe bons waarmee de biobak op het trottoir was beland.

Ten slotte draaide Frank zich om en liep terug naar zijn auto. Hij had het koud gekregen en trok zijn jas dichter om zich heen. De reünie stond op het punt van beginnen. Hij zou zich moeten haasten om op tijd in Minkema te zijn.

17

De dag voor het vertrek van Juliette en de kinderen uit Saint-Franchy had het gezin op Franks aandringen besloten tot een laatste gezamenlijke wandeling in de bossen van Jailly, op zo'n vijf kilometer van Saint-Martin, een gehucht dat halverwege de weg tussen Saint-Franchy en Jailly lag. Vanuit Jailly had je fraai zicht op de omgeving en kon je de boerderijen van Saint-Martin zien liggen, en een verafgelegen hoeve waar de rook van een brandstapel opsteeg en ongehinderd omhoogklom – er stond nauwelijks wind –, de wolken en de zon tegemoet, zonder dat de rook het de zon onnodig lastig maakte.

De huizen van Jailly lagen verspreid tegen een heuvel, met een romaanse kerk uit de twaalfde eeuw vlak onder de top en een *cimetière* met schots en scheef staande zerken die een steuntje in de rug konden gebruiken. Achter het kerkhof leidde een pad het Bois de Jailly in, dat pal onder de heuveltop begon en zich ver daarachter uitstrekte en breed uitwaaierde, tot diep in de vallei, en daar nog aan voorbij.

Een bejaarde vrouw verzorgde de bloemen bij het graf van wat waarschijnlijk haar man was, Lucien Girard.

'Moet u kijken!' begon ze in het Frans tegen Juliette. Ze wees naar de omgevallen vaasjes en de bloemen die her en der verspreid lagen alsof ze woedend waren weggeslingerd.

'Je kunt aan de gang blijven,' foeterde ze. 'Ik heb er mijn handen vol aan. Dat krijg je ervan als ze weer eens bezig zijn geweest. Wat dénken ze wel niet? Die gaan ervan uit dat ze zich alles kunnen permitteren, *les morts*. Wát een rommel.'

'Kan dat niet het werk zijn,' opperde Frank nadat Juliette met Mees en Karin alvast was doorgelopen, 'van een paar opgeschoten jongens uit de buurt, uit verveling of balorigheid?'

'*Mais non, monsieur*,' antwoordde madame Girard, 'wij hébben helemaal geen jongeren in Jailly. Die zijn allemaal vertrokken, jaren geleden al, naar de grote stad.'

Als je haar wilde geloven stonden de doden geregeld op uit hun graf, dat was bij wijze van spreken dagelijks werk. En zij kon het weten, want ze woonde al ruim veertig jaar halverwege de heuvel en hield goed zicht op wat er gebeurde en wat of wie er zoal voorbijkwam. Of dacht 'monsieur le tourist' misschien dat zij ze niet allemaal op een rijtje had en maar wat kletste?

Nee, dat dacht monsieur niet, integendeel. Frank gebaarde naar Juliette dat hij eraan kwam.

'Ze smijten de bloemen gewoon in het rond, alsof het niks is,' vervolgde madame Girard. 'Soms liggen de spullen zelfs in het bos, en vind je ze pas een kwartiertje lopen verderop terug. Zo makkelijk is het niet voor mij met mijn rug om de boel op orde te houden. Het geeft toch geen pas om je zo te gedragen? Maar ik moet erbij zeggen,' ging ze vergoelijkend verder, 'het zijn er niet veel hoor, die dat doen, zulke fratsen. Het is maar een enkeling die zich zo verlaagt, een uitzondering. Verreweg de meesten blijven liggen, en de anderen letten goed op waar ze lopen, en laten alles zo veel mogelijk heel, voor zover dat kan als je in het donker rondstommelt en je onvast ter been bent.'

'Pap!' riep Mees ongeduldig. 'Kom je? Mama begint er genoeg van te krijgen, van het gewacht, en Karin en ik ook.'

Ze liepen het Bois de Jailly in, met hun rugzakken met eten en drinken, Mees voorop, en kregen hoe langer hoe meer zin in de wandeling.

De lucht was betrokken, Hollandse temperaturen; bewolkt en niet te warm. Ze zetten er goed de pas in en liepen dieper en dieper het bos in.

Alleen Karin keek veelvuldig om. Af en toe liet ze zich uit de voorhoede terugzakken, bleef dan op het smalle bospad staan en luisterde aandachtig.

'Scheelt er wat aan, Kaa?' vroeg Frank. 'Is er iets?'

Karin keek opnieuw om zich heen alsof ze wat had gehoord, iets wat onbedoeld geluid had veroorzaakt en elk moment zichtbaar kon worden.

'Nee niks, pap,' antwoordde ze. 'Ik dacht dat ik iets hoorde... een dier tussen de bomen... Nee, er is niks pap, ik heb me vergist.' En ze holde weg om vooraan te lopen, nog voor Mees uit, om bij splitsingen de te volgen weg te bepalen aan de hand van de spaarzaam aangebrachte blauwe driehoekige schildjes op de bomen. Dat viel niet mee: de wandelroute was slecht onderhouden en er ontbraken nogal wat schildjes, waardoor de wandeling gaandeweg het karakter van een puzzeltocht kreeg.

Maar had Karin zich vergist? En had madame Girard misschien gelijk? Opzij van het bospad klonk nu en dan geritsel dat hen bijhield en op de voet volgde.

Maar Frank maakte zich geen al te grote zorgen en dacht aan wat er in zijn koffer verborgen lag, onder in de linnenkast in de slaapkamer, in een dikke trui die hij had meegenomen voor als het 's avonds koud zou worden, en hij besloot niet meer om te kijken maar door te lopen, zijn gezin achterna.

Tegen vieren die middag kwamen ze terug in Jailly, waar de auto stond. Mees en Karin wilden ter afsluiting van de vakantie graag nog één keer zwemmen in het meer.

'En,' zei Juliette, 'ga je het vieren, als we morgenochtend weg zijn? Gaat de driekleur uit?'

Ze lagen op het strandje. De kinderen zaten in een huurkano op het water en peddelden naar het eiland in het midden van het meer, waar op wat hoge struiken en zomerbomen na niets was: dat had Frank eerder met eigen ogen vastgesteld.

'Wat bedoel je?' zei Frank.

'Precies wat ik zeg. Ga je het morgen vieren, met die blonde uit het huis met de piepkleine ramen, nummer 45?'

'Waar heb je het over?'

'En dat zou jij niet weten, Frank, waar ik het over heb? Dacht je dat ik niet in de gaten had dat je elke ochtend op eigen initiatief die een of twee lege wijnflessen naar de glasbak bij de kerk brengt, terwijl ik je eerst zo ongeveer moest smeken om een doos lege flessen weg te brengen? Doe niet zo onnozel alsjeblieft. Misschien kan ze je vergezellen bij het uitzwaaien. Of wou je beweren dat jij je onmiddellijk aan het schrijven van die artikelen gaat zetten? Dat kan ik me nauwelijks voorstellen, Frank, eerlijk gezegd. Jullie vinden jezelf zeker o zo bijdehand dat je mij voor het lapje houdt. "Juliette? O, die heeft niets in de gaten." Ik hoor het je zeggen, Frank, en ik zie jullie lachen met z'n tweeën. God, wat hebben jullie het getroffen met elkaar. Leef je vooral uit, dan heb ik ook mijn handen vrij.

Hoe heet ze eigenlijk? Wat zeg je, Ellen? Heet ze Ellen?

En vertel eens, Frank,' vervolgde Juliette, 'heb je bij haar ook een plukje schaamhaar afgeknipt, net als bij mij toentertijd? En ligt dat soms in je nachtkastje in een van de laatjes, bij je favoriete schaar die je overal mee naartoe sleept? Laat me dat even weten, wil je, dan mag je dat nachtkastje zelf schoonmaken voor je vertrek, want daar begin ik niet aan.'

Juliette doelde op de speciale schaar die Frank van zijn collega's had gekregen toen hij vijf jaar in het ziekenhuis werkte en waar Frank zeer mee in zijn nopjes was. Het was verreweg de beste schaar in het ziekenhuis en Franks collega's mochten hem graag lenen, de jubileumschaar.

Dat had Juliette juist ingeschat, dat hij aan Ellen had

gevraagd of ze er bezwaar tegen had als hij een plukje van haar schaamhaar afknipte en meenam, een klein plukje maar. 'Wat moet je ermee?' had Ellen gevraagd. Maar ze vond het geen onaardig idee dat Frank een souvenir van haar wilde hebben.

Toen hij naar zijn vakantiehuis terugliep, had Frank de tissue met de plukjes haar opengevouwen – behoedzaam, alsof het een rituele handeling betrof – en had een kleine hoeveelheid haartjes naar het wegdek laten dwarrelen waar ze een prooi werden van de wind. Daarna had hij de tissue dichtgevouwen, in zijn broekzak weggestopt en was doorgelopen. Die kon thuis aan zijn collectie worden toegevoegd.

'Maar het geeft niet hoor, je doet maar,' vervolgde Juliette. 'Van mijn kant geen verwijten, Frank. Dat stadium zijn we gelukkig voorbij. Neem het ervan, zou ik zeggen. Dat doe ik zelf ook, als ik morgenavond terug ben in Den Haag.' Juliette hield haar Blackberry omhoog en legde hem toen terug op de badhanddoek. 'En kijk me niet zo aan met die vermoorde-onschuldogen van je. Bewaar die blik maar voor Ellen.'

Juliette richtte zich iets op zodat ze over het water kon kijken en de kano zag, en ze zwaaide naar de kinderen.

Toen keek ze hem aan en glimlachte. 'O Frank,' zei Juliette en ze streek over zijn haar. 'We lachen wat af, hè.'

Ze schoven naar elkaar toe. De badhanddoek plooide zich in kleine colletjes, en ze kusten elkaar. De plooien in de handdoek groeiden aan en werden groter, zodat er hoogtes maar ook dieptes en kloven ontstonden, zonder dat de plooiingen de tijdelijke toenadering tussen Juliette en Frank in de weg stonden.

'Je bent,' zei Juliette, 'de leukste rotzak die ik ooit tegenkwam, dat moet ik je nageven, eerlijk is eerlijk.'

Ze kusten elkaar opnieuw. 'We zien wel,' zei Juliette, 'waar het schip strandt, afgesproken? Kapseist de boel, kunnen we altijd nog de reddingsboten in, ieder voor zich.'

De volgende ochtend stonden Juliette en Frank in alle vroegte op, zetten de tassen en losse spullen in de auto, maakten de kinderen wakker, dronken en aten nog wat en toen laveerde Juliette de Renault van het terrein af, het smalle hek door; en Frank zwaaide zijn gezin na tot de auto om de hoek verdween: hij hoorde Juliette toeteren.

Kort nadat de auto uit het zicht was verdwenen kwam Ellen de hoek om gewandeld. Met een beetje pech, bedacht Frank, rondde Juliette het dorpsplein en kwam ze terug, bij wijze van aardigheidje. Maar waarschijnlijk zou ze een dergelijke manoeuvre vanwege Mees en Karin achterwege laten. Voor de kinderen was het beter dat ze niet zagen wat ze niet hoefden te zien.

Ellen zwaaide en lachte en kwam toen naar hem toe gehold. Ze vertraagde haar snelle passen niet, ook niet toen ze vlak bij hem was. Het was aan Frank om zijn armen wijd open te doen, zijn rug te rechten en haar op te vangen, en dat deed hij ook. De zon was eveneens van de partij en keek belangstellend toe, alsof ze een kaartje had gekocht voor een spektakelstuk dat zich spoedig moest ontvouwen.

'Dat is gek,' zei Ellen 's middags.

'Wat is gek?'

'Dat je "Julie" zegt. Dat is voor het eerst dat je het doet. Je noemt haar naam sowieso bijna nooit, de keren dat je dat deed zijn op de vingers van een hand te tellen. Maar "Julie" had ik je nooit horen zeggen, tot nu dan. Is er iets, Frank, zit je iets dwars?'

Er volgde een stilte die niet door het geluid van de wind of de vogels werd opgevuld.

'Leuke kinderen heb je,' zei Ellen.

's Avonds laat – Juliette wilde per se in één keer terugrijden, zonder hotelovernachting –, toen de kinderen in bed lagen, had Juliette gebeld. Ze hadden langdurig in de file gestaan: daar was op een vakantiezaterdag geen ontsnappen aan. Het had Frank geen moeite gekost zich voor de geest te halen hoe de snelweg met vakantieverkeer verstopt raakte.

Dat gevoel bekroop Frank vaker de laatste tijd: dat de wegen voor hem dichtslibden. En de enige manier om lucht te krijgen was om ruimte te scheppen en met uiterste zorgvuldigheid dat wat op je pad kwam en je doorgang hinderde of belemmerde in stukjes te snijden, hanteerbare proporties, en daarna in nog kleinere stukjes.

'Alles goed daar?' had Frank gevraagd. 'En met de kinderen ook?'

Met de kinderen was alles goed, had Juliette geantwoord. Toen had ze opgehangen.

18

'Zeg Frank, jij was toch laatst in Hargen?' had Juliette op een avond gezegd. 'Of vergis ik me?'

Hij probeerde ontspannen te klinken maar vanbinnen ging een stil alarm af. Stond er iets over Hargen in de landelijke krant die ze zat te lezen?

'Een week of vijf geleden, geloof ik,' zei Frank. 'Zes weken, zoiets.'

'Waar was dat ook alweer voor?'

'Een reünie van mijn jaarclub.'

'En hoe heette dat tentje waar jullie bij elkaar kwamen?'

'Minkema,' zei Frank. 'Nou, "tentje" zou ik het niet willen noemen. Pas maar op dat de eigenaar je niet hoort. Paviljoen Minkema. Het is de enige uitspanning daar.'

'Dat bedoelde ik,' zei Juliette. 'Ik wist zeker dat ik die naam eerder had gehoord, toen je daar laatst met je jaarclubgenoten zat. Nu herinner ik me het weer. Daar liep de boulevard toch steil omlaag, voor dat Minkema? Want ik lees hier dat er gisteravond een ongeluk heeft plaatsgevonden. Niet voor de deur van Minkema, maar op de dijk even verderop. Ik kan me herinneren dat je vertelde dat een paar studievrienden van je wankel ter been van jullie drankgelag kwamen en het de nodige moeite kostte om te voorkomen dat ze naar beneden kukelden, de helling af.'

Frank was uit zijn stoel opgestaan en las over Juliettes schouder mee in de krant.

DRIE DODEN BIJ ONGELUK OP ZEEWERING BIJ HARGEN

HARGEN – Drie mannen zijn dinsdagnacht omgekomen doordat een auto met vijf inzittenden bij de Hondsbossche Zeewering bij Hargen meerdere keren over de kop sloeg.

Twee slachtoffers kwamen ter plekke om, een derde overleed later in het ziekenhuis.

Het gaat om een 31-jarige man uit Camperduin en twee jongens van 17 en 18 jaar uit Groet.

Eén man ligt zwaargewond in een ziekenhuis. Een andere man raakte lichter gewond.

Mogelijk heeft de bestuurder te hard gereden. De politie stelt een onderzoek in naar de toedracht van het noodlottig ongeval.

'Dat is toevallig, vind je niet?' zei Juliette. 'Jij hebt koud je hielen gelicht met je vrienden in zo'n plaatsje van niks, of er gebeurt zoiets.'

Ze vouwde de krant dicht en keek hem aan. 'Je moet daar vaker langsgaan, Frank, bij paviljoen Minkema. Ze zullen je er vast met open armen ontvangen.'

'Ik zie je zo,' zei Frank. 'Ik ben boven, een paar dingen voor morgen klaarleggen, en ik zal de hond kort uitlaten. Die heeft vanmiddag nog gelopen toch, met Mees?'

Frank ging de trap op, liep zijn studeerkamer in, trok een van de bureauladen open, diepte een grote doos op en lichtte het deksel. Dat had hij lang niet gedaan, zijn verzameling botten en botjes controleren. Alles was er nog; er ontbrak op het eerste gezicht niets. Ook de inhoud van een tweede doos uit een andere la leek onberoerd gebleven: niemand die naar zijn verzameling had gezocht of eraan had gezeten. Er waren geen dingen gebeurd die afweken van het gangbare.

Niet in deze werkkamer, nee; maar Hargen was een ander verhaal. Wat er in Hargen was gebeurd, kon bijna geen toeval zijn, gelet op de toespeling die Van Halsteren had gemaakt.

Verre van gerustgesteld liet Frank de hond uit en ging daarna naar bed. Daar was hij hard aan toe, aan zijn nachtrust. Maar anders dan Juliette lag Frank lang wakker. Wat wilde Van Halsteren, en waar kwam Frank in diens plannen voor?

19

Om elf uur in de avond lichtte de hemel op. Het was het einde van Quatorze Juillet en vanaf het balkon van het huis op Mont Céleste zag Frank vuurwerk de lucht in gaan, uit elkaar spatten en in brede waaiers terugvallen naar de aarde. Nicole was naar boven, want ze 'geloofde het wel, dat vuurwerk'.

Boven Lézignan was het met minieme tussenpozen zo langdurig licht dat de nacht leek te zwichten voor het daglichtachtige licht.

Tot het vuurwerk na twintig minuten voorbij was, de bergen verdwenen, de hoogvlakte zich aan het donker overgaf en iedereen naar bed kon, zelfs Frank.

De volgende ochtend zaten Nicole en Frank op het terras van Café de la Poste in Olonzac. Aan de gevels prijkte de Franse driekleur vanwege de viering gisteren: de vlaggen waren niet weggehaald, zo duurde het feestje voort. In de verte, ver voorbij de rotonde en in het verlengde van de doorgaande weg, kon je de Pyreneeën zien; kale bergen, deze ochtend, die een weinig uitnodigende indruk maakten.

Een ober vroeg wat ze wilden drinken. 'Ya-hoe!' zei hij nadat hij de bestelling had herhaald.

'Yahoe,' herhaalde Nicole toen de ober buiten gehoorsafstand was. 'Waar slaat dat op? Neemt-ie ons in de maling, met dat ge-"Yahoe" van hem?'

Een oudere man, wiens linkerarm ontbrak, passeerde het terras. De linkermouw van zijn T-shirt fladderde losjes rond omdat het stuk stof niets te omhullen wist. De man hield een stokbrood onder zijn rechterarm geklemd en keek om zich heen met een blik of niet hij wat miste, maar de terrasbezoekers iets overbodigs meetorsten.

Toen de ober de glazen voor Nicole en Frank op tafel zette, herhaalde hij zijn 'Ya-hoe!'

'Yahoe?' vroeg Nicole. 'Wat betekent dat?'

'Ya-hoe?' antwoordde de ober. 'Ah, *c'est la fête! C'est l'été!* Ya-hoe!'

Frank keek langs de rij platanen naar het eind van de boulevard Gambetta waar een groene stenen fontein drie waterstralen met kracht een paar meter de lucht in spoot.

Fraai vervallen huizen omlijnden de boulevard: de hoofdstraat van Olonzac. Sommige huizen stonden te koop, maar daar begon Frank niet over: dagdromen over een tweede huis in Frankrijk was niet iets waar hij Nicole een genoegen mee deed.

Het bladerdak van de platanen was dermate dicht dat de straatverlichting in de bomen leek opgehangen; de lantarenpalen zelf zag je niet, tenzij je er je best voor deed.

Enkele Fransen kwamen moeizaam aangelopen, betraden bleekjes het café en bleven binnen aan de bar hangen met een glas *rouge* om bij te komen van het drinkgelag van de vorige avond. Aan de terrastafel naast Frank en Nicole zaten twee oudere dames aan de pastis die moeite deden om niet uit hun rotan stoelen te glijden. Ze hieven hun lege glazen. 'Ya-hoe,' schalde de stem van de ober, ten teken dat hij de boodschap had begrepen.

Het was negen over tien. De dag kon nog alle kanten op.

Een jonge vrouw verscheen op de boulevard Gambetta, en kwam naar het terras gewandeld. Haar haar zat slordig, alsof ze zojuist uit bed was gerold, en misschien was dat inderdaad het geval.

Ze liep het terras op.

Aan een tafel langs de stoeprand zaten drie mannen die eensgezind overeind kwamen en haar begroetten. 'Claudette!'

Ze zoenden haar uitbundig. Ook van een andere tafel stond een man op die 'Claudette!' riep, naar haar toe liep en haar in zijn armen sloot. Haar lange zwarte haren leken geverfd en konden een shampoobeurt gebruiken. Ze droeg een kort zwart jurkje dat weinig van haar belijning te raden liet. Misschien was het niet zozeer een jurkje dat ze aanhad, overwoog Frank, maar een negligé.

De vrouwen van Olonzac waren minder enthousiast over Claudettes verschijnen en groetten haar met een minzaam knikje of negeerden haar, maar fluisterden elkaar iets toe zodra Claudette hun tafeltje voorbij was.

Aan de overkant van de boulevard, van Grand Hôtel Sainte-Hélène, kwam een toerist aangelopen die de straat overstak en naar het terras kwam. Hij begroette de ober in het Frans, maar met een Amerikaans accent en besprak iets met hem op zachte toon. Ze keken naar Claudette, die aan een tafeltje bij twee *locals* was gaan zitten. De Amerikaan knikte, liep naar Claudette en sprak haar aan. Claudette lachte, verontschuldigde zich bij haar tafelgenoten en stond op.

'Sorry schat,' zei Nicole, die niet op de Amerikaan had gelet noch op het tafereel dat zich ontspon, 'ik moet even naar binnen. Ben zo terug.'

Terwijl Nicole in de schemering van het café verdween, legde Frank zijn colbert over Nicoles stoel en wandelde Claudette en de Amerikaan achterna. Ver hoefde hij niet te lopen. Ze staken de boulevard Gambetta over en verdwenen in het hotel van de Amerikaan.

'Waar wás je?' vroeg Nicole, die aan tafel had plaatsgenomen, 'en waarom liet je je colbert liggen?'

Dat Frank naar de fontein was gelopen om die te bewonderen was voor Nicole een afdoende verklaring.

Zo'n drie kwartier later keerde Claudette terug op de boulevard Gambetta en wandelde langs het terras, zonder de Amerikaan. Haar zwarte haar zat beter dan eerder op de ochtend.

'Ya-hoe!' zei de ober, maar niet zo hard dat Claudette het horen kon.

'Kom, ik heb 't wel gezien hier,' zei Nicole. 'Laten we naar huis gaan. Ik moet nog pakken voor we overmorgen vertrekken. Bovendien moeten we het huis bezemschoon achterlaten, en dat is het nu allesbehalve.'

Frank protesteerde niet, hoewel hij graag was blijven zitten om te zien hoe Claudette plezier had met vier Fransen en zich door een van hen liet kussen.

Nicole stond op en Frank volgde haar voorbeeld. Hij verheugde zich op het tweede deel van hun vakantie in Saint-Thomé, een halve dag rijden hiervandaan, en hij wenkte de ober, die geen 'Ya-hoe!' zei toen hij Frank de rekening overhandigde.

Terwijl ze naar de auto liepen, Nicole voorop, keek Frank om naar Claudette. Er was iets aangeraakt in Frank, verscholen in een diepe diepte, dat uit zijn sluimerbestaan was gewekt en zich in hem verhief en zich eenmaal gewekt niet spoedig in slaap zou laten sussen.

Die nacht begon het te waaien en opnieuw hoorde Frank het in de verte onweren: het begon een gewoonte te worden. De wind haalde de hoogvlakte, maar het onweer beperkte zich tot een tekeergaan boven de bergen.

Vanaf het balkon zag Frank hoe de nachthemel oplichtte, grilliger nog dan tijdens het vuurwerk gisteravond, en sloop toen stil naar bed. Nicole was diep in slaap, en hij schoof in bed zonder haar te wekken.

—

's Ochtends was Frank als eerste op het terras en in het zwembad. De lucht zag eruit alsof deze zojuist was opgeleverd, en hetzelfde gold voor het groen tegen de berghellingen van Mont Céleste. Bij de buren, een paar villa's verderop, sloeg een hond aan. Lag het aan hem, en aan zijn verschijnen buiten?

Het duurde een poos voordat het dier tot bedaren kwam en de zondagse stilte opnieuw bezit nam van de vakantieverblijven en tuinen op de berg.

Frank was gewend dat honden zo sterk op hem reageerden. Dat had hij van kinds af aan meegemaakt, het effect dat zijn verschijnen op honden had. Toen hij nog op school zat, sloegen honden aan als hij ergens passeerde. Frank hoorde ze dan blaffen en het doffe gebonk als ze tegen de binnenkant van de voordeur op sprongen. Je zag misschien niets aan Frank, maar de honden bleven blaffen, lang nadat Frank uit het straatbeeld was verdwenen.

Soms, als hij niets dringends omhanden had, wandelde Frank terug de straat in en liep op zijn gemak langs het huis van waaruit naar hem was geblaft, en hoorde dan de hond opnieuw tekeergaan en de nagels over het hout van de voordeur krabben, en bleef een ogenblik staan. Zo'n waakhond mocht best iets doen voor de kost.

Dat hield ze scherp, honden.

Terwijl Frank in het zwembad lag en omhoogkeek, moest hij aan de Scheveningse lucht denken boven de Scheveningse zee en aan de meeuwen, en voor het eerst deze vakantie miste hij Den Haag.

De laatste keer dat hij aan de kust was, een paar weken voor de vakantie, had hij zijn auto geparkeerd op het Zwarte Pad. Via de boulevard was Frank naar de Pier gelopen en aan het eind van het wandelhoofd had hij lange tijd over de reling geleund. Enkele meeuwen fladderden dicht om hem heen: voor hen hoorde hij al half en half bij het meubilair. Even had Frank het gevoel bekropen deel uit te maken van de zee. Als hij lang genoeg geduld oefende, engelengeduld, zou hij verwateren en werd hij vanzelf een golfje dat meerolde naar de kust en zou hij zo opgaan in een groter geheel, de zee, die min of meer het eeuwige leven heeft.

Toen had hij de uitzichttoren beklommen en naar de Haagse skyline gekeken, en had tussen de duinen zijn auto op het parkeerterrein gespot, met de neus richting de Noordzee.

Vergiste Frank zich of zag zijn auto hem ook en verlangde deze naar zijn terugkeer? Graag had Frank van het uitzicht op de kust genoten, een bezigheid die hij doorgaans lang kon volhouden, maar zijn auto riep, een lokroep die hij anders dan die van het water niet kon weerstaan en hij was teruggelopen naar het Zwarte Pad, tegen de straffe zeewind in, tot hij achter de duinenrug kwam en daarmee uit de wind.

'Frank!' klonk Nicoles hoge stem uit het huis. 'Waar blíjf je?'

Terwijl hij uit het water kwam en op de zwembadrand ging zitten en zich afdroogde, vroeg hij zich af hoe Claudettes haar vanochtend zat, en wat ze aan zou hebben.

20

In de zomer na zijn eindexamen kreeg Frank een 'opdracht' ingefluisterd. Niet in een droom of zinsbegoocheling, maar toen hij klaarwakker op zijn rug naar het plafond van zijn kamer lag te staren. Al was het Frank onduidelijk wie de opdrachtgever was: omtrent diens identiteit tastte hij in het duister. Dat zou hij veelvuldig doen de komende weken, in het duister tasten, zodat het hem voorkwam dat hij het duister sluipenderwijs beter leerde kennen dan het licht, een vaststelling waar Frank zich niet ongemakkelijk bij voelde.

Het was stil in huis. Zijn ouders en Cathy waren op vakantie naar Frankrijk – 'We gaan overzomeren,' zoals Chantal het een dag voor hun vertrek tegenover de buren had genoemd – en Frank zou op het huis passen. Het gezin was inmiddels naar Den Haag verhuisd, naar een ruime woning aan de Thomsonlaan. Wolf was ondergebracht in Zoetermeer, zodat Frank niet met de dagelijkse zorg en verantwoording voor het dier zou zijn belast.

Toen Frank die julinacht uit bed kwam, liep hij in het halfduister naar zijn bureau. Hij had de kaart van Den Haag opengeslagen, zijn ogen dichtgedaan zoals hem door een van de stemmen in zijn hoofd was bevolen, en mede om zijn evenwicht te bewaren had hij zijn hand op de kaart gelegd. Waarom hij tot deze handeling was aangezet, was hem een raadsel. Maar Frank kon goed uit de voeten met dingen die langdurig onopgehelderd bleven en misschien nooit zouden worden verduidelijkt.

Hij had zijn ogen opengedaan, knipte de bureaulamp aan en keek naar de plek onder zijn rechterwijsvinger: daar moest hij heen. Of misschien werd hij daar verwacht; dat zou waarschijnlijk ter plaatse duidelijk worden.

Welke plek wees zijn vinger op de kaart aan?

Het ging om een bospark ten noordoosten van Den Haag, dat Rozendael heette, een buitenplaats die Frank niet kende, ook niet van de zondagmiddagwandelingen met zijn vader en moeder en met Cathy en de hond.

Frank vatte het op als een aanwijzing, hoe gering ook. Daar moest hij heen, naar dat landgoed of uit zijn krachten gegroeide park; naar wat hij specifiek moest zoeken zou in een later stadium aan hem worden bekendgemaakt of geopenbaard.

Of misschien niet.

De eerste ochtend dat hij bij Rozendael kwam, stonden de wilgen en kastanjebomen met open armen langs het verharde pad dat van de ingang het park in voerde, alsof ze hem welkom heetten: een ontvangstcomité dat zorg droeg voor de inhuldiging van de nieuw aangekomene.

Een aantal bomen zat onder de kraaien, alsof ze ermee waren besmet. De vogels bleven op hun tak zitten terwijl Frank onder ze door liep, en hielden de blik strak op hem gericht, benieuwd of er voor hen iets te halen viel.

De tweede dag kwam Frank pas in de loop van de ochtend bij Rozendael aan. De vorige avond had hij lang doorgezocht, tot het donker werd en je niet bijster veel zag, ook niet met een zaklamp, en hij had zijn zoektocht noodgedwongen afgebroken uit angst om een eventuele aanwijzing over het hoofd te zien en te beschadigen of te vertrappen. Dat zou hem niet nog eens overkomen.

Frank had het nodige meegenomen op zijn fiets: een schop met inklapbare steel en klein gereedschap waarmee zijn moeder de tuin deed. Geschikt materiaal om mee aan het werk te gaan, al was het hem nog steeds onduidelijk waarnaar hij op zoek was.

Desondanks leverde deze dag, alle goede bedoelingen en voornemens ten spijt, niets op.

Die nacht kwam zijn doel hem iets helderder voor de geest te staan.

Het was geen hobbywerk of liefhebberij wat hij in Rozendael deed, geen vakantie-uitstapje en geen staaltje vrijetijds- of bezigheidstherapie. Frank opereerde met een reden in Rozendael. Hij moest het park uitkammen, met uiterste zorgvuldigheid, tot in de verste uithoeken en hoekjes, en met alle middelen die hem ten dienste stonden. Wat hield het park angstvallig voor hem verborgen?

Met hernieuwde ijver zou hij zich morgenochtend aan zijn taak zetten.

Terwijl Frank dit overwoog moest hij aan Wolf denken. Die lag ongetwijfeld op zijn zij in het dierenpension. Dat kon je de hond niet kwalijk nemen. Het was een dier en wist niet beter. Maar zou hij Wolf niet uit Zoetermeer kunnen ophalen en mee laten zoeken in het park, zou dat iets opleveren? Het leek de moeite van het proberen waard; tegelijkertijd had een dergelijke exercitie geen haast. De hond naar Den Haag halen kon altijd nog.

Eventueel deed hij er een week over, of twee weken als de nood aan de man kwam.

De derde dag leken de bomen naar elkaar toe gegroeid. Waren de onderlinge ruimtes tussen de bomen verengd, of was het verbeelding? De toenadering betrof vooral de jonge bomen. De oudere eiken en kastanjes en de wilgen langs een van de vijvers maakten een wat stramme, houteriger indruk, niet onlogisch gelet op hun aard en leeftijd, en leken zo honkvast.

Frank werkte hard aan twee zijpaden en aan een omvangrijk stuk weide, maar zonder noemenswaardig resultaat.

Dag vijf kabbelde voort; totdat zich omstreeks het middaguur een verandering voordeed. De wolken stoven plotseling alle kanten op, alsof ze betrokken waren bij een Hollywoodproductie en op aanwijzing van de regisseur de scène speelden waarin ze op de hielen werden gezeten en vluchtten – maar door wie of wat ze werden achtervolgd was onduidelijk.

Wat was er in hen gevaren?

Gisteren leverde niets op, en vandaag ook niet. Hij was nu een week onderweg en aan het materiaal waarmee hij het bos, de struiken en de grassen uitploos kon het gebrek aan resultaat niet liggen. Frank werkte met een van de beste kammen uit het beschikbare assortiment, de Donostia, Oostenrijks fabricaat, een stalen houtkam die onlangs in een vakblad als beste uit een test kwam en bij een bouw-markt door Frank was aangeschaft. Je moest altijd het bes-te materiaal tot je beschikking hebben, of het nu om scha-ren, harken, mesjes of wat-dan-ook voor gereedschap ging.

Er waren meer goede houtkammen leverbaar, maar in het geval van de Donostia pakte de prijs-kwaliteitverhou-ding gunstiger uit dan bij de Zonuko B van Tsjechische makelij. Afgezien daarvan ontliepen de twee elkaar niet veel.

Soms gunde Frank zich een onderbreking tijdens zijn werkzaamheden. Er was niemand die hem op zijn vingers keek, dus waarom zou hij zijn gemoed belasten met de vraag of zoiets was toegestaan? Wie zou hem moeten te-genhouden?

Frank keek naar de wolken en het blauw, en kon niet anders concluderen dan dat de gebruikte hemelmateria-len kampten met achterstallig onderhoud. Hier en daar bladderde het blauw af.

Ook deze dag keerde Frank met lege handen huiswaarts.

Dag negen, en de waarheid gebood te zeggen dat de voorbije dagen niet veel bijzonders aan het licht hadden gebracht. Wel was een aanzienlijk deel van het park geklaard en van smetten vrij.

Franks aanvankelijke monterheid had plaatsgemaakt voor een gezonde dosis realisme. De oogst was ronduit mager: lege frisdrankblikjes, bierflessen, wikkels van candybars, peuken, een nat en beschimmeld bankstel, een kapotte tv, losse stoelen waaraan meestal een of meerdere poten ontbraken of waarvan de zitting los hing, hamburgerdoosjes en milkshakebekers, allerlei soorten plastic verpakkingsmateriaal, stapels niet-bezorgde kranten, gebruikte condooms, tissues en papiersnippers.

Nee, een rijke oogst kon je het met de beste wil van de wereld niet noemen.

Dag tien. Frank trof alles exact aan zoals hij het de avond ervoor had achtergelaten.

Waar was hij aan begonnen? Toch liet zijn rug hem ondanks het urenlang achtereen gebogen zoeken niet in de steek; zijn rug stond pal achter hem.

Sporadisch mengde Frank zich nog onder de mensen omdat hij de noodzakelijke boodschappen moest doen en leeftocht nodig had, maar in feite leefde hij in quarantaine.

Er moest snel iets tastbaars op tafel komen, een concreet resultaat, anders viel de bodem onder zijn zoek-tocht weg.

Had hij te hoog willen reiken? Daar begon het op te lijken. Hij was met een vaag omlijnd doel naar Rozen-dael gekomen, maar na al het vruchteloos zoeken leek het moment gekomen om een harde conclusie te trekken en onder ogen te zien dat voortzetting van de hem gegeven opdracht niet tot resultaat zou leiden. De tijd begon te dringen.

Misschien had hij op de verkeerde plaats gezocht en zou een zoektocht elders in het park iets opleveren, al be-sefte Frank, gelet op de omvang van Rozendael, dat zijn missie zo goed als kansloos was.

Op de elfde dag lag de hemel bezaaid met losse wolken, die ondanks het ieder-voor-zich-principe een geheel vormden.

Dat was het aardige aan wolken: je kon erin zien wat je wilde, en dat was dan de werkelijkheid voor zolang het duurde.

Allerlei vogels waarvan Frank de naam niet kende, do-ken en buitelden over elkaar heen boven de open gedeel-tes van het landgoed. Soms volvoerden ze vrijwel onmo-gelijke vliegbewegingen waar geen stuntpiloot zich aan zou durven wagen.

Dag twaalf.

Wat had hem bezield?

En waarom had 'het' hem verlaten? Omdat hij in een

ogenblik van zwakte twijfelde en niet in staat leek zijn taak te volbrengen? Was hij getest, en was hij niet uit het goede hout gesneden en te licht bevonden?

Frank stond voor een voldongen feit: zijn naspeuringen hadden niets opgeleverd.

Hij had opzichtig gefaald. Hij had van alles gevonden en naar huis versleept, maar wat hij had meegenomen was per saldo van weinig waarde en van geringe betekenis: dat kon hij maar beter aan zichzelf toegeven. En er was geen aanwijzing, hoe nietig ook, dat zijn zoeken de komende dagen alsnog wat zou opleveren. Om iets te kunnen vinden moest je eerst ergens iets neerleggen, misschien was dat het.

Dag veertien.

Alles overziend concludeerde Frank dat hem niets anders restte dan onverrichter zake naar huis terug te keren, om daar een mogelijke sanctie voor dit fiasco af te wachten. Hij was nooit op de loop gegaan voor de consequenties van zijn daden, en hij was niet van zins dat alsnog te doen.

's Avonds keek Frank naar de lange lijst artikelen en spullen die hij in Rozendael had gevonden, vouwde hem dicht, en vouwde hem nog kleiner op, zodat het na enig schudden van de prullenbak naast zijn bureau tussen de andere weggegooide rommel wegzakte en verdween.

De volgende ochtend ging hij met de trein naar Zoetermeer en haalde Wolf uit het dierenpension op.

—

Zaterdagavond kwamen zijn ouders en Cathy thuis. Toen Henri voor de deur stopte en drie keer kort achter elkaar toeterde ten teken dat ze er waren zodat Frank zijn vader kon helpen de auto uit te laden, veerde Wolf op van zijn plek in de gang en deed verwoede pogingen om bij de voordeur te komen en er tegenop te springen. Dat kostte Wolf enige inspanning.

'Wat is híer gebeurd?!' zei Henri toen Frank de voordeur opendeed en hij met een stel koffers over de drempel wilde stappen, ware het niet dat een groot deel van de hal en een deel van de gang met van alles en nog wat was geblokkeerd.

'Wat is híer gebeurd?!' herhaalde zijn vader. Er klonk ontzetting in zijn stem.

'O, dat is niks,' zei Frank. 'Dat is zo opgeruimd.'

'Is er iets?' riep Chantal, die nog bij de auto was.

'Moet je eens éven komen kijken,' riep Henri haar toe, 'wat ik hier aantref!'

Toen stoof Wolf naar buiten. Hij rende op Chantal af en sprong hoog tegen haar op, keer op keer, onvermoeibaar, en begroette Cathy al even enthousiast. Zo uitzinnig van vreugde had Frank de hond zelden meegemaakt.

Het kostte Frank enkele uren om de ergste rotzooi op te ruimen en de hal en de gang begaanbaar te maken.

Dat was zaterdagavond laat, de vreugdevolle thuiskomst. Maandagochtend ging Frank met de eerste bus naar station Den Haag Centraal – zijn ouders en Cathy sliepen nog –, kocht een paar broodjes en koffie voor onderweg en nam de trein naar het oosten.

Tegen tienen kwam hij bij legerplaats 't Harde aan, meldde zich bij de ingang van de kazerne, werd behulpzaam doorverwezen en liep onder de poort door het kazerneterrein op, naar het door de schildwacht opgegeven gebouw, waar alles aan hem en zijn lotgenoten zou worden uitgelegd en ze te horen kregen wat er van hen werd verwacht vandaag, de komende dagen en in de nabije toekomst, gedurende de rest van hun tijd in militaire dienst. Gebouw E 32. Daar moest hij zijn. Het kon niet missen, had de schildwacht gezegd. E 32.

Dat klonk goed, vond Frank, E 32. Beter dan Park Rozendael.

21

Julie.

Zeventien jaar waren ze getrouwd. Al vergat Frank steevast haar verjaardag, en Juliette daarom de zijne.

Ze waren uit Den Haag vertrokken, Juliette en Frank met Mees en Karin, en ook de hond ging mee.

Drie weken later keerden ze terug naar Den Haag; in dezelfde auto met dezelfde kinderen en dezelfde hond. Het verschil tussen begin en eind augustus? Hun huwelijk was voorbij, al bleven ze bij elkaar.

Waarom, had Frank zich meermalen afgevraagd, had hij het destijds niet zien aankomen? De voortekenen waren niet gunstig geweest toen ze na een filevolle autorit eindelijk in Cordebugle arriveerden.

'O, *madame et monsieur*,' had de eigenaresse van het huurhuis hen begroet, '*mon mari* is vandaag een week geleden overleden, op de kop af.'

De Versteeghes stonden naast hun auto op het grindpad, stram en stijf van het veel te lang in de te krappe autocabine opgevouwen zitten. Rover was nog in de auto, al wilde het dier er dolgraag uit.

'Aan kanker,' voegde madame LeGoff eraan toe. 'Leverkanker.'

Frank had naar de beboste vallei voor het vakantiehuis gekeken en toen naar madame LeGoff.

'Eerst zijn alvleesklier, en daarna...'

Haar man deed álles, vertelde ze, 'de boerderij, het vee, zijn hele leven, *tout*.' Maar dat kon zij niet opbrengen, daar voelde ze zich te oud voor, en dus zouden de schapen binnenkort worden verkocht, *les moutons*, en de appelboomgaard.

Ja, ze had kinderen, een volwassen zoon en dochter, maar die wilden de boerderij niet overnemen, ze woonden en werkten in Rennes en Chartres, stadsmensen, zij hadden zelf kinderen en geen trek in een leven lang zwoegen op het platteland, dat begreep madame LeGoff ook wel.

Frank staarde naar de Bretonse lucht. Niet dat daar een antwoord in besloten lag, want de lucht weigerde het achterste van haar tong te laten zien. Het was geen goed begin, dit overlijdensbericht, en Frank hoopte tegen beter weten in dat het bij deze tijding zou blijven.

'Mon mari,' verzuchtte madame LeGoff, 'werkte áltijd. En dat is niet goed, hè. Hij heeft nooit eens kunnen genieten, *jamais*. En daar gaat het ook om in het leven, hè, de rust vinden om ergens van te genieten.'

Frank was het roerend met haar eens. Bleef de vraag:

hoe deed je dat, genieten? Hoe pakte je zoiets aan, zonder een ander letsel te berokkenen?

Ze hadden madame LeGoff na die eerste ontmoeting niet meer gezien; zij had genoeg aan haar eigen sores en liet hen met rust.

Onderweg naar Thibierville, een provincieplaatsje waar, als je de folders mocht geloven, van alles te bezichtigen viel, was het misgegaan.

Na een opmerking over zijn veel te harde rijden – 'Ik kan het honderd keer tegen je zeggen, Frank, dat je veel en veel te hard rijdt, en dat op die smalle Franse wegen met de kinderen achterin, levensgevaarlijk. Maar het heeft geen zin want je hoort het toch niet. Je hóort me niet eens. Dringt er überhaupt wel eens iets tot je door van wat ik tegen je zeg, íets?' – en terwijl Karin en Mees voor de zoveelste keer zaten te ruziën, was Frank het zat. Hij trapte de rem bruusk in, keerde de auto op een landweg en reed terug naar het vakantiehuis.

Kort daarna was Juliette zonder iets te zeggen met de kinderen vertrokken. Waarheen, of hoe laat ze zouden terugkomen, geen idee.

Terwijl Frank in de tuin stond, stak een briesje op, dat over de vallei streek en met zachte hand langs de bomen ging. Pluizen van paardenbloemen dreven langs en waren weldra uit het zicht verdwenen. Rover lag aan de uiterste rand van het terras en deed of hij sliep, want als er een insect in zijn buurt kwam ging zijn rechteroog open.

Een ogenblik overwoog Frank om Juliette te bellen en te vragen waar ze uithing en wat de plannen waren, maar daar zag hij van af. Hij liep het huis in, schonk een glas wijn in en liep het achterterrein op, klapte een terrasstoel uit en ging zitten.

Juliette belde niet en naarmate de middag vorderde, bekroop Frank het gevoel dat hij ergens op wachtte.

Laat in de middag kwam het zestal koeien voorbijgeslenterd dat tweemaal daags passeerde omdat hier hun drinkbak stond. Ze wachtten niet, maar sjokten verder: door de aanhoudende hitte was de bak drooggevallen.

De boer, die verderop in de vallei woonde, vulde de drinkbak niet bij. In het dal liep een dun stroompje. Dat wist de boer en dat wisten zijn koeien ook, die kenden de weg.

Het begon harder te waaien.

Frank klapte de parasol in voordat de wind deze kapot zou trekken, liep het huurhuis in en sloot de ramen en luiken van de slaapkamers boven, en wist dat hij niet meer van Juliette hield en dat hun huwelijk voorbij was.

'Waarom hou je eigenlijk van me?' had ze die week in bed gevraagd. Het was een vraag die ze vaker had gesteld. Alsof Frank nooit tot een bevredigend antwoord in staat was gebleken.

Juliette was vanaf hun eerste ontmoeting haar eigen wereld gebleven, een wereld waar hij niet bij kon. Maar wat die andere wereld behelsde, was een raadsel dat hem niet langer boeide en on-ontraadseld mocht blijven.

Frank liep opnieuw naar buiten en speurde de weg af. Nog altijd was Juliette niet terug met de kinderen. Waar bleven ze?

Hij moest denken aan de twee zusjes die hij had gezien toen ze uit eten gingen in Cordebugle. Voor de Vital, de minisupermarkt die het gehucht rijk was en die volgens een briefje op de winkeldeur als *dépot de pain* fungeerde, was tegen vijf uur 's middags een oude Mercedes verschenen, die een kar voorttrok. De achtervering van de Mercedes wist haar beste tijd achter zich want de carrosserie boog vervaarlijk diep door en dreigde het asfalt te raken; of misschien was de auto verkeerd geladen of de aanhangwagen te zwaar.

De achterbak van de Mercedes ging open en de oudste dochter hielp haar moeder met het uitzetten van de klapstoeltjes, een drietal wankele plastic tafels en twee uitvouwbare plastic palmbomen, en hing ter afronding een snoer lichtjes in de takken alsof het binnenkort Kerstmis zou zijn. De vader maakte de aanhangwagen open en vouwde deze uit tot een grote tent; bij hem kon je straks gebraden kippen kopen. De jongste dochter – die in een te ruime rode jurk rondhobbelde, een afdankertje van haar grote zus – hoefde niet mee te helpen; zij mocht volstaan met touwtjespringen, een eind verderop, waar ze met haar bokkensprongen en touw geen kwaad kon. Haar tijd om in het gezin mee te helpen kwam nog wel; de dagen van het onbezorgd touwtjespringen zouden spoedig zijn geteld.

Toen het gezin Versteeghe tegen elven na ferme handdrukken van de ober, de kok en de eigenaar de *Aubergerie* verliet, zag Frank in het supermarktlicht hoe de oudste dochter de plastic boompjes inklapte en in de kofferbak van de Mercedes legde.

Om twee over elf dook de oudste achter in de Mercedes, waar haar zus al sliep. De portieren sloegen dicht en het gezin vertrok naar een volgende standplaats, met de kar als een ezel achter de vermoeide Mercedes aan.

Je kon een hoop kwijt in een aanhangwagen, overwoog Frank, en indien nodig of gewenst ladingen over lange afstanden vervoeren zonder dat iemand vragen stelde over de aard of herkomst ervan.

Frank liep naar de rand van het veld waar de glooiing begon, en de vallei lonkte en de diepte. Het dal werd door nevels goeddeels aan het oog onttrokken. Er kon zich van alles in de diepte afspelen zonder dat Frank er boven aan de helling iets van meekreeg.

Opzij van hem schoot iets weg; een fret of een vos, dat viel lastig uit te maken. Wat het ook was, het vluchtte terug het dichte struikgewas in en ontsnapte.

Frank keek naar de tractorsporen in het gras die naar de garage leidden en die kriskras over het brede grindpad liepen, en staarde toen naar niets in het bijzonder. Zo stond hij een poos. Enkele vogels hielden hem gezelschap en fladderden vlak langs hem heen, hoewel dat 'hem gezelschap houden' een tikkeltje zelfzuchtig gedacht was misschien, dat zag Frank zelf ook in.

Een windvlaag sloeg de grassen op de glooiing plat: hoog gras dat voor de koeien was bestemd en met een paar dagen moest gemaaid en te drogen gelegd om later in het jaar als wintervoedsel te dienen.

Toen, Frank had het bijna voelen aankomen, verscheen een gestalte aan de andere kant van het terrein, dicht bij het bijgebouw en de schuren en de voormalige stallen. Vrijwel hetzelfde ogenblik deed de verschijning een stap terug en verdween uit het zicht.

Maar daarmee was hij nog niet weg.

Frank was er vrij zeker van dat de gedaante zich in de buurt van de vakantiewoning bevond. Nu werd het menens. Frank draaide zich om, de vallei achter zich latend, en wilde naar het vakantiehuis teruglopen, maar bleef staan.

Van binnenuit werd op de begane grond een keuken-raam opengezet en een tweede raam ging open aan de zij-kant van het huis, op de eerste verdieping: het grote raam van de slaapkamer van Juliette en hemzelf.

In een van de vensterbanken verschoof een plant, zag Frank toen hij dichterbij kwam, een flink uit de kluiten gewassen cactus, met plantenbak en al. Geen van de cactussen in de vensterbank bloeide, op één na, en juist deze plant verschoof, op eigen houtje, en verdween met een klap van de vensterbank.

Er bekroop Frank een gevoel dat er iets van hem werd verwacht, een oude belofte of schuld die moest worden ingelost, en dat hij daar niet te lang mee moest wachten. Frank wist niet wie of wat zich in het vakantiehuis ophield, maar onwillekeurig gingen zijn gedachten terug naar de ontmoetingen in Den Haag, waarbij Van Halsteren hem had aangesproken en zich had gedragen alsof hij Frank kende terwijl Frank hem nooit eerder had gezien. Was Van Halsteren soms terug?

Waar bleven Juliette en de kinderen? Hij was van zijn kant best bereid om de strijdbijl met Juliette voorlopig te begraven nu er heel andere zaken speelden.

Maar er was geen ontkomen aan, aan wat zich voor zijn neus afspeelde; hij kon moeilijk de dingen op hun beloop laten en buiten op het terras de terugkeer van zijn gezin afwachten. Wat stond hem te doen? Zonder dat zijn naam klonk wist hij zich geroepen, en Frank liep in de richting van het vakantiehuis.

Hij kwam bij de achterdeur en pakte de klink. Om hem heen begon het landschap langzaam in te storten. De bomen leken te wankelen en de schuur en een bijgebouw bleven ternauwernood overeind. Frank hoefde de deur niet open te duwen, met nog niet de geringste krachtsinspanning, want de deur week uit zichzelf.

Frank stapte over de drempel het huis in en sloot de deur geruisloos. Boven zich hoorde hij geluiden, en hij wist dat hij daar werd verwacht. Hij liep de keuken door, de gang in en ging de trap op naar de eerste etage. Hij voelde zich geen moment in gevaar. Het was eerder Van Halsteren die op zijn tellen moest passen, als hij het was die hem naar boven lokte.

Bovengekomen liep Frank de slaapkamer in en sloot het raam.

—

Toen Juliette terugkwam en de auto met een ruk in het grind naast het vakantiehuis parkeerde, volgde er geen uitleg over het hoe en wat, of het waarom, of het hoe-nu-verder. Mees en Karin mompelden een vage groet en dropen af met Rover.

Pas toen drong het tot Frank door dat Rover de hele middag niet één keer had geblaft.

22

Er waren nauwelijks files de dag dat ze uit Mont Céleste vertrokken, en in de loop van de middag kwamen Frank en Nicole aan bij hun tweede vakantieverblijf in Saint-Thomé, een voormalige zijdeboerderij, zes kilometer van het bergdorp zelf.

Het huis lag tegen een helling; een smalle weg liep tussen de bergwand en de achterkant van de boerderij, een weg die nauwelijks door auto's werd gebruikt. Een paar keer per dag dreunde een tractor voorbij en soms passeerde een wielrenner of mountainbiker.

Aan de voorkant keek het huis uit over een kloof met dichtbeboste bergwanden. In het dal tegenover het vakantiehuis lag een wijngaard; in het laagst gelegen deel van de kloof stroomde een doorwaadbaar riviertje, dat met de regenval in de herfst zou aanzwellen en een rivier zou worden.

De auto was uitgepakt, de bagage naar binnen gedragen, en op de eerste etage was Nicole bezig het bed op te maken. Op hulp van Frank zat ze niet te wachten, had Nicole gezegd, want dat schoot niet op – als Frank meehielp liep hij, hoe goed bedoeld ook, voornamelijk in de weg. Zodra het bed was opgemaakt konden ze naar de Intermarché in Le Teil voor de grote boodschappen. De supermarkt was tot halfnegen 's avonds open en het was prettig als ze dat haalden want dan hoefden ze er de volgende ochtend niet vroeg op uit.

Terwijl Frank naar de bergen en de kloof keek viel hem een bestelwagen op, die hoog uit de bergen kwam aangereden, een paar haarspeldbochten nam, kortstondig verdween achter een haag van sparren en toen stopte aan de overkant van de kloof – de motor viel stil – aan de rand van de wijngaard.

Niemand stapte uit.

Het stof dat de auto tijdens het laatste stuk van de afdaling had opgeworpen, ging gemakzuchtig liggen en dwarrelde niet meer van het onverharde pad op.

Nog altijd ging er geen autoportier open.

Het was ondoenlijk uit te maken hoeveel inzittenden de wagen telde of wie de auto bestuurde: daarvoor was de afstand te groot. Het was een beigekleurige bestelwagen, zonder firmanaam of brancheaanduiding op de flank. Het kon een auto van Franse makelij zijn, dat lag voor de hand, maar het kon evengoed om een Toyota of Hyundai gaan, onmogelijk om dat vast te stellen van deze afstand.

Het werd stil in de kloof; het laatste motorgeruis stierf weg. Omdat er nog steeds niemand uitstapte, bleef Frank kijken.

Tot Nicole hem nadrukkelijk riep. Ze kon met spoed enige assistentie gebruiken, want er zat een schorpioen in de badkamer.

Tegen de muur kroop inderdaad een schorpioen omhoog. Of Frank die alsjeblieft wilde verwijderen, want daar was ze geen fan van. De verhuurder had gewaarschuwd dat je 's ochtends je schoenen moest controleren voordat je ze aandeed en 's avonds je bed voordat je erin stapte en dat je goed moest letten op de vochtige plekken in huis, op natte badkamermatten en handdoeken, want daar vertoefden schorpioenen graag.

Het was een rode schorpioen, en die kon minder kwaad dan een zwarte, wist Frank.

'Jij hebt makkelijk praten,' zei Nicole. 'Je zult het maar in je bed vinden, Frank. Wil ik wel eens zien of je dan net zo nuchter reageert als nu.'

Frank sloeg de schorpioen dood met een slipper en spoelde hem door de wc. Daarna liep hij de slaapkamer in. 'Nic, er ligt niets in je bed.'

'Wat zeg je?' hoorde hij Nicole roepen.

'Dat er niks in je bed ligt,' riep hij terug, 'geen schorpioen, niks tussen de lakens.'

Hij liep naar het raam – de slaapkamer rook muf – en zette het open. Het kozijn was nodig aan vervanging toe, constateerde Frank. Het was een eeuwenoude boerderij met geheimen en geheimenissen, maar hier liet de hoeve zich even in de kaart kijken. Grote en kleine stukken van het kozijn waren weggesprongen, en het houtwerk was vermolmd.

Frank zag dat niet alleen dit raamkozijn spoedig moest worden vervangen, maar ook veel van de andere kozijnen, want het hout was door en door rot.

Toen Frank buitenkwam, trok de bestelwagen aan de overkant van de kloof langzaam op en reed zo mogelijk nog langzamer weg, alsof de bestuurder van het voertuig met tegenzin afscheid nam van het tafereel, om pas enige vaart te maken op het stuk weg dat achter de bomen liep.

Korte tijd later verscheen Nicole. 'Frank, pak jij de tassen? We moeten opschieten, anders is de supermarkt dicht.'

Diezelfde avond begon het te regenen, en 's nachts stevig te regenen. Het voegde voor Frank iets toe aan de charme van het huis met zijn eeuwenoude muren en zijn waterput en zijn verscholen ligging in de kloof.

Behalve dan dat de regen door het houten dak lekte en bij een van de niet in gebruik zijnde slaapkamers op de bovenverdieping naar binnen liep, in een tempo dat Frank noopte om emmers onder de lekkende plekken te zetten en deze op het hoogtepunt van de regenval om het kwartier te legen.

—

Terwijl Frank de volgende ochtend de ontbijtspullen buiten op tafel zette, op de loggia, verscheen de beige bestelwagen opnieuw aan de rand van de wijngaard, en stopte. Nicole was boven, zich aankleden, en kon elk moment beneden komen.

Ook dit keer stapte niemand uit.

Frank besloot er geen aandacht aan te besteden. Ze waren op vakantie en die bestelwagen kon hem wat. Je kon wel overal iets in zien, en dat was Frank niet van plan te doen.

Evengoed bleef het vreemd.

In de kloof woonde bijna niemand. De weinige huizen stonden leeg en waren in meer of mindere mate aan verval onderhevig: de oorspronkelijke bewoners waren vertrokken zonder het voornemen hier terug te keren.

Frank en Nicole hadden de man ontmoet die namens de verhuurder de sleutel van hun vakantiehuis beheerde en met zijn vrouw en zes honden op een boerderij halverwege de weg naar Saint-Thomé woonde; en je had de wijnboer aan de overkant van de kloof, die een groot huis had, met de ruïne van een nog groter huis er pal achter, hoger op de helling, maar dat stond te koop – je zag zijn borden met *Maison à Vendre* al kilometers buiten het dorp, met routebeschrijving en een zelfgeschilderd telefoonnummer erop. Er was haast bij, kennelijk.

Enkele meters lager, waar de bergwand vlakker werd, was een woonwagenkamp: zes, zeven caravans, die deels waren overwoekerd. Het was niet duidelijk of er iemand woonde: er had geen licht gebrand vannacht.

Terwijl hij op Nicole wachtte, hield Frank de bestelwagen in de gaten.

'Maak jij vast thee?' riep Nicole van boven. 'Ik kom eraan.' Een verzoek dat hij moeilijk kon weigeren met als reden dat hij wilde zien of iemand al dan niet uit een auto stapte, en hij liep de keuken in.

'Zie je die bestelwagen?' zei Frank toen Nicole aan tafel schoof.

'Dat beige ding aan de overkant?' vroeg Nicole. 'Het is dat je het zegt, want die was me nog niet opgevallen. Maar ik zit ook nog maar een minuut, schat. Heb ik iets gemist?'

'Hij kwam net aangereden,' vertelde Frank, 'stopte waar hij nu nog steeds staat en vervolgens stapte er niemand uit.'

'O ja?' zei Nicole. 'Is dat zo?'

'Dat gebeurde gisteren ook,' zei Frank, 'toen we 's middags aankwamen. Ik was buiten bezig, jij binnen, bedden opmaken. Op dat moment kwam die wagen van de berg naar beneden gereden, stopte, bleef staan en vervolgens stapte er niemand uit. Later reed hij weg zonder dat ik iemand had zien instappen.'

'Meen je dat nou?' zei Nicole. Ze leek niet erg onder de indruk van Franks relaas. 'Weet je wat we doen? Ik heb binnen een verrekijker zien liggen, op een van de planken in de bijkeuken, dan kijken we even.'

Nicole haalde de verrekijker, leunde over de loggia-muur, richtte de kijker op de bestelwagen en stelde de lenzen scherp.

'Zal ik je wat vertellen?' zei ze. 'Er zit niemand in. Niet achter het stuur, en niet ernaast. Geen bijrijder of niks.'

Ze liet de verrekijker zakken. 'Dus die bestuurder is uit-gestapt toen jij thee voor me maakte, zou het niet? Want uit zichzelf de berg af komen en hierheen rijden, op de automatische piloot, dat zie ik dat ding niet doen. Of dacht jij van wel, schat?'

Ze legde de kijker op tafel.

'Even praktisch, wat gaan we doen vandaag?' zei Nicole. 'Wat zijn de plannen?'

—

'O,' zei Nicole, toen ze 's middags terugkwamen, 'moet je zien!' Ze wees naar de pruimenboomgaard bij het zwembad. 'We moeten echt wat met die pruimen doen hier. Dat heeft de beheerder nog met klem gezegd, in ons eigen belang, anders hebben we binnen de kortste keren wespennesten en kunnen we het zwemmen op onze buik schrijven. Als jij ze raapt, Frank, maak ik er jam van.'

Nicole was er geen dag te vroeg mee. Het fruit was overrijp en buitelde uit de bomen. Het grind van de jeu-de-boulesbaan was met een dikke paarsblauwe deken toegedekt. Daar ging Nicole een flinke klus aan krijgen, dacht Frank, aan dat jam maken. De wespen zoemden boven de afgevallen vruchten en bliezen met tegenzin de aftocht. Was Frank overmorgen aan het karwei begonnen, dan had de plaatselijke brandweer eraan te pas moeten komen – maar die was niet op afroep beschikbaar om een dergelijk klusje uit te voeren, had hij van Nicole begrepen: een wespennest was geen uitslaande brand. Bovendien hielpen Fransen eerst Fransen, en daarna pas toeristen.

Frank keek tevreden naar de emmers en de vrijgemaakte jeu-de-boulesbaan, en naar de weinige wespen die onder de bomen rondhingen maar die dadelijk teleurgesteld zouden afdruipen.

'En,' informeerde Nicole opgewekt toen hij een nieuwe lading binnenbracht, 'hoe is het met je bestelwagen?' Ze had een transistorradio gevonden die het deed; in de keuken klonk een Frans chanson. 'Staat-ie er nog, en zit er nog steeds niemand achter het stuur?'

'Vind je jezelf geestig?' zei Frank.

23

Het was een trage dag: het weinige dat er gebeurde voltrok zich in een slakkengang.

De uren slopen langzaam door de tuin. De zon hield zich angstvallig schuil achter de wolken en de dag, vond Frank, had nog het meest weg van een landerige zondagmiddag op Scheveningen; de golven sleepten zich naar het strand.

Tegen vieren schonk Frank voor Nicole een groot glas wijn in en voor zichzelf een Ricard, en toen nog een. Zijn humeur klaarde aanzienlijk op, evenals dat van Nicole. Als alles vandaag traag verliep, konden ze hun plezierige gemoedstoestand mogelijk lang vasthouden.

Ook op de zijdeboerderij hielden de vliegen zich opvallend genoeg alleen bij Frank op.

'Wat is dat toch met je?' vroeg Nicole. 'Wat is er met je aan de hand?'

'Niets,' antwoordde Frank. 'Het zijn gewoon vliegen,

niks bijzonders.' Een vlieg liep over zijn rechtervoet. Het kriebelde niet onaangenaam, hij begon al aan hun aanwezigheid te wennen, en Frank herinnerde zich de man op het terras in Roubia, die opeens in de drukte van de marktstraat was verdwenen.

'Ze moeten mij wel hebben, inderdaad.'

'Daar lijkt het op.' Nicole nam een slok. 'Maar waarom jou en niet mij, dat vraag ik me af. Heb je daarover nagedacht?'

Het was een vraag waar Frank niet direct een antwoord op wist.

Nicole hield haar lege glas naar hem op. 'Waarom zitten ze uitgerekend bij jou?'

Overeenkomstig het tempo waarin deze dag zich voltrok, duurde het een tijdje voordat Frank begon te vermoeden wat er mogelijk speelde.

Het ging helemaal niet om de man in Roubia. Hij had in die man zichzelf weerspiegeld gezien, in een niet al te verre en aanlokkelijke toekomst, en Frank huiverde.

'Lieverd,' zei Nicole en haar glas schommelde opnieuw in de lucht, 'schenk jij bij of zal ik het doen?'

Het was een gebaar, de ongeduldige hand met het hooggeheven lege glas, dat hij zo goed van Juliette kende. Was Nicole een inhaalslag begonnen?

—

De middag na Juliettes vertrek uit Saint-Franchy was Frank aangesproken door een vrouw van middelbare leeftijd. 'Leuke kinderen heeft u,' zei ze. 'Ik heb ze bij het meer zien zwemmen en een paar keer gesproken... Alleraardigst.

Sorry,' zei ze toen ze Franks terughoudendheid bemerkte, 'ik zal me even voorstellen. Monique. Het huis dat u heeft gehuurd is van vrienden van ons. Ik woon zelf verderop, op de hoek aan het eind van de straat. Heb ik het goed begrepen van uw kinderen dat zij en uw vrouw gisterochtend zijn teruggegaan naar Nederland?'

Dat klopte, bevestigde Frank, zijn gezin was weg, hijzelf zou over een paar dagen volgen.

'Ik zag u een paar keer bij het meer van de week,' vervolgde Monique, 'alsof u iets liep te zoeken, zeldzame planten of bloemen. Is dat een liefhebberij van u, de natuur?'

Nee, had Frank geantwoord, hij liep langs het meer omdat het er in Den Haag nooit van kwam, van lange wandelingen, daar kwam hij thuis uit tijdgebrek niet aan toe.

Of hij Ellen misschien had gezien, toevallig. Monique had een afspraak met haar, maar ze had Ellen niet thuis getroffen, en dan schoten er niet zo veel mogelijkheden over in een dorp als dit.

Nee, antwoordde Frank, hij had Ellen niet gezien.

'Sorry dat ik u lastigviel,' zei Monique. 'Nu, ik ga maar eens op huis aan.' Ze groette vriendelijk en liep toen de weg af naar huis.

Toen hij de oprijlaan van het vakantiehuis op liep, kwam Ellen hem tegemoet.

'Ben jij niet iets vergeten?' had Frank gevraagd.

De dag na aankomst in Den Haag belde Juliette 's avonds opnieuw, en kort daarna kreeg hij Mees en Karin aan de telefoon; maar zij moesten snel door. Ze zouden met een stel vrienden en vriendinnen uitgaan, naar de cafés bij de Grote Markt, dus als hij het niet erg vond lieten Mees en Karin het hierbij, dan hoorden ze de verhalen over wat hij meemaakte in Saint-Franchy als hij terug zou zijn in Den Haag, goed? Daarop was de verbinding verbroken. Uit het raam kon Frank de Peugeot zien die hij de dag voor Julies vertrek had gehuurd. Zonder auto begon je hier weinig, daarvoor waren de afstanden te groot en was het terrein te heuvelachtig.

Vreemd, besefte Frank, dat hij Juliette aan de telefoon opnieuw 'Julie' had genoemd. Luchtte haar afwezigheid hem zo op dat hij haar dan pas in liefkozende bewoordingen aansprak?

Julie.

Terwijl hij aan de telefoon was, had Ellen vanaf de bank glimlachend toegekeken.

De volgende ochtend lag het landschap er in de steek gelaten bij, alsof de zon er met een ander vandoor was, een of andere jonge ster, opgeduikeld in een van de talloze stegen en steegjes die het heelal rijk is; en niet voor een vluggertje.

Niet dat Frank er wakker van lag, van het onkarakteristieke verloop van deze Franse zomer. Er waren andere zaken die hem uit zijn slaap hielden.

Frank stond in de slaapkamer op de eerste verdieping

van het vakantiehuis en keek uit het raam aan de voorkant naar de bomen: de wilgen langs de greppel, de platanen en de iepen; en naar het tuinhek, de bocht die de smalle oprijlaan beschreef, en naar de voormalige kippenren waarin tegenwoordig de houtblokken voor de open haard werden bewaard, want kippen, daar deed de huidige eigenaar van de woning niet aan.

Ellen was naar huis gegaan; ze moest een paar dingen doen, wát, dat was Frank onduidelijk en hij had er niet naar gevraagd – ze zouden elkaar in de loop van de middag zien.

Hij liep de kamer uit, stak de gang over en keek uit het grote raam aan de achterkant van het huis naar de weilanden waarin de koeien dicht bij elkaar bleven; die verloren elkaar niet uit het oog.

Nadat hij zo een tijdje had gestaan zonder dat hij tot diepere inzichten kwam, maakte Frank de tas met spullen open die hij uit de linnenkast tevoorschijn had gehaald.

Het werd tijd dat de inhoud van de tas aan zijn trekken kwam. De instrumenten verdienden het om het daglicht te mogen begroeten. De schaar die hij van zijn collega's had gekregen zag er als nieuw en ongebruikt uit. Scharen en messen vergden geregeld en zorgvuldig onderhoud, dat kon je niet straffeloos op zijn beloop laten. Hield je dat bij, dan popelden ze om ergens hun tanden in te zetten.

Hoe laat had hij met Ellen afgesproken?

Elsje Fiederelsje, zet je klompjes bij het vuur. Die regels van het kinderversje kon hij zich probleemloos herinneren, maar hoe het verderging wist Frank niet meer. Het deed er ook niet toe; hij zou sowieso voor een andere afloop zorg dragen.

Frank checkte of zijn instrumentarium in goede orde aanwezig was en liep toen de trap af naar de begane grond.

Beneden keek hij naar de grote schouw, een die trok als een tierelier, dat hadden ze vorige week vastgesteld toen de kinderen armen vol hout uit het bos hadden gehaald en ze een hoog oplaaiend vuur maakten dat een avond lang had gebrand. Het hout kraakte en knetterde, maar er was bijna geen rook de benedenkamers in gedwarreld. Het gold niet voor alles in dit vakantiehuis, maar de schoorsteen was goed bijgehouden. De houtblokken en de droge takken en twijgen die Frank in de kippenren had verzameld, lagen klaar voor gebruik.

Maar waar lagen de aanmaakblokjes en lucifers? Niet op de balk boven de schouw, waar Frank ze had neergelegd. Had Juliette die per ongeluk ingepakt of mee naar huis genomen voor het geval ze in Den Haag in de tuin wilden barbecueën?

Nee, ze lagen achter een stapel oude kranten en telefoongidsen aan de zijkant van de schouw, die mochten ook het vuur in.

Als het goed was, had hij nu alles bij de hand.

Dat wil zeggen, waar lagen zijn handschoenen? Niet de soepele leren die muisstil op hun plek in de kelderkast lagen te wachten, maar de werkhandschoenen voor grovere klussen?

Lang hoefde Frank niet in onzekerheid te verkeren,

want hij vond ze achter de manshoge stapel houtblokken aan de andere kant naast de schouw: de kinderen hadden zijn handschoenen ongetwijfeld geleend om de dennentakken beter mee aan te kunnen pakken.

Gerustgesteld keek Frank uit het grote raam. De voorbije weken was bijna nooit iemand langsgelopen. Nu wel. Aan het eind van de smalle weg langs het vakantiehuis stuitte een wandelaar op de poort die toegang gaf tot een landgoed: een Château dat privé-eigendom was en werd bewoond; het was verboden om het terrein van het landgoed te betreden, een enkele leverancier of onderhoudsmonteur daar gelaten; en de wandelaar, zag Frank, keerde onverrichter zake terug. Het was het enige wat afweek van wat gangbaar was, dát er iemand wandelde. Maar het bracht Frank niet uit zijn doen.

Waar leefden de dorpsbewoners van Saint-Franchy van, vroeg Frank zich af. Van het handjevol koeien en schapen, de magere wijngaarden of van een verdwaalde toerist die op doorreis was en zijn weg zo spoedig mogelijk wenste te vervolgen? Dat kon geen vetpot zijn. Zelfs in het hoogseizoen was het dorp praktisch uitgestorven. Logisch, er was hier niets: geen bakker, geen café, geen toeristische attractie, niets. Beter kon je het je niet wensen, vond Frank.

Hij diepte zijn schaar uit de tas op, haalde de scherpe punt lichtjes over de huid van zijn handpalm en voelde een plezierige huivering. Daar kon een mens vrolijk van worden, van zulke kleine sensaties, en hij stopte de schaar terug in de veilige behuizing van de tas. *Elsje Fiederelsje, zet je klompjes bij het vuur.* Hoe ging het versje verder? Dat hij daar nu niet op kon komen.

Het waaide de hele middag al. Een venijnige wind die de bomen bij hun lurven greep, en heen en weer schudde, en toen dat niet hielp hen door elkaar rammelde; alsof er door de bomen iets moest worden opgebiecht, een bekentenis die de wind desnoods uit hen persen zou als ze zich bleven verzetten.

Frank keek naar de penduleachtige klok boven het dressoir.

Hij had nog even. Zou ze in de keuken bezig zijn? Of was ze klaar met de voorbereidingen en was ze zich aan het opmaken? Wat zou ze hebben aangetrokken? Frank zag haar uitgetekend voor zich, heel, zonder dat er iets aan haar mankeerde of ontbrak, ze had geen schrammetje, geen onderdeel, hoe klein ook, dat schitterde door afwezigheid; en een groot verlangen maakte zich van hem meester. Het was altijd weer een feest om iemands binnenwerk bloot te leggen, en tot in detail te mogen ontdekken hoe de bedrading liep.

Hij keek naar de tuin en naar het gazon, dat een maaibeurt kon gebruiken en waar het gras onder invloed van de wind alle kanten op boog.

Opnieuw keek Frank naar de klok. Het was zover. Hij pakte zijn tas, liep naar de kapstok bij de buitendeur en trok zijn jas aan.

De wind hield de deur bereidwillig voor hem open en hij hoefde deze niet achter zich te sluiten. Dat deed de wind voor hem, een kleine moeite.

Het moest er een keer van komen, dacht Frank, en het was goed dat het er nu van kwam.

Ellen.

—

Toen Frank die zaterdagavond terugkeerde naar Den Haag gebeurde er bij thuiskomst iets ongebruikelijks.

Rover kwam op Frank toegelopen, maar veel minder uitgelaten dan Frank gewend was. Had de hond iets in de gaten? Daar leek het op, want het dier naderde hem zelfs met een zekere aarzeling.

'Wat heeft die hond?' zei Juliette. Haar viel het blijkbaar eveneens op. 'Hij reageert altijd zo enthousiast als hij een van ons ziet, of jou. Zou er iets met hem zijn?'

'Ach,' zei Frank, 'hij heeft zijn dag misschien niet. Het maakt niet uit, dat trekt wel weer bij.'

'Dat zeg je nou, maar zo doet hij nooit. Zou hij iets verkeerds hebben gegeten?'

Het kon zijn dat Rover iets onder de leden had, maar het viel voor Juliette niet uit te maken wat. De hond snuffelde uitgebreid aan Franks schoenen en broekspijpen en ging toen op zijn vaste stek naast het fornuis liggen, om van daar naar Frank te kijken.

'En,' vroeg Juliette, 'hoe is het gegaan?'

'Je bedoelt?'

'Je werk, dat artikel. Hoe ging het?'

'O, dat,' zei Frank. 'Goed, heel goed. Ik ben aardig opgeschoten, een heel eind. Waar zijn Mees en Karin trouwens? Of slapen die al?'

Twee dagen na Franks terugkeer uit Frankrijk, toen Juliette de was deed in de wasruimte, miste ze een broek en een oud shirt van Frank. Dat wist ze zo zeker omdat ze Franks spullen had ingepakt. Hij had het kort voor zijn vakantie zo druk gehad in het ziekenhuis dat hij nergens aan was toegekomen thuis.

Toen ze Frank er 's avonds naar vroeg, had hij een bevredigende verklaring. O, die kleren, dat was waar ook, dat had te maken met de huurauto, dat ding verbruikte zo veel olie, hij had eronder gelegen om te kijken of er ergens een lek zat en toen hij onder de Peugeot vandaan kroop had hij zijn kleren kunnen weggooien, één grote smeerboel, en omdat het om vakantieplunje ging, had hij dat prompt gedaan, weggooien. Dat was toch geen probleem, of had hij die troep mee naar huis moeten nemen, had ze dat liever gehad? Dan had ze die spullen eindeloos kunnen wassen.

Nee, had Juliette gezegd, geen probleem, ze zou er niet over begonnen zijn als ze zich niet had herinnerd dat ze twee jaar geleden, toen hij ook later van vakantie terugkeerde dan het gezin, eveneens kleding van hem miste, een shirt en een broek, vandaar dat ze ernaar vroeg. Het gaf niks, het ging om oude kleren die ze zelf allang zou hebben weggedaan.

Wel was ze verbaasd te horen dat hij de moeite had genomen onder een huurauto te kruipen om uit te vinden wat het kon zijn, de oorzaak van dat olieverlies. Daar had ze Frank in Den Haag nooit op mogen betrappen, op zoiets als belangstelling voor een auto of een motorblok. Als haar auto iets mankeerde keek hij er nooit naar; daar hadden ze een garage voor, zei hij dan, zonde van zijn tijd.

Evengoed, van die kleren waren ze af. Maar wat was er dan twee jaar geleden gebeurd, vroeg Juliette, dat hij daar zijn kleren had weggegooid? Hij had daar toch niet ook onder een auto gelegen, eentje die toevallig olie lekte? Daar hoefde hij wat haar betreft geen vakantiebesteding van te maken, van onder auto's kruipen.

Ook die vraag had Frank naar wens beantwoord. Een ongekende hoosbui was losgebarsten, met een ondergelopen kelder tot gevolg, waar Frank bij ontstentenis van de verhuurder van het huis iets aan had moeten doen, omgevallen verfpotten en troep, spul dat op zijn kleren was gekomen, modderwater, en dat zich niet zo makkelijk van zijn kleding liet verwijderen, dat had hij vergeefs geprobeerd.

'Goh, ik wist niet eens,' zei Juliette, 'dat er een kelder zat onder het huis dat we toen huurden.'

'Dat komt,' zei Frank, 'omdat alle buitenspullen die we nodig hadden, de stoelen en kussens, parasols, de grote terrastafel, al buiten stonden toen we daar aankwamen, klaar voor gebruik, met naast het huis de opblaasboot voor de kinderen en de tafeltennistafel, alles. Daar hebben we toen geen omkijken naar gehad. En na ons kwamen andere huurders, dus we hoefden niets op te ruimen en konden alles laten staan.'

Het klonk overtuigend genoeg, en vandaar dat Juliette het erbij liet. Bovendien was ze mooi van die kleding van Frank af, want ze kon het hem vriendelijk vragen, maar iets weggooien, hoe versleten ook, kon hij niet, dus dit scheelde weer.

'Is er nog iets anders dat je weten wil?' vroeg Frank.

'Nee hoor,' antwoordde Juliette. 'Of is er iets wat je me wilde vertellen?'

Kort daarna gaf Frank te kennen dat hij moe was, het was een lange dag geweest in het ziekenhuis, morgen wachtte hem weer zo'n dag en daarom wilde hij naar boven.

'Kom,' zei Juliette de volgende avond, 'het is bijna halfelf, laten we naar bed gaan.'

'Is dat niet wat aan de vroege kant?' opperde Frank.

'Daarom juist.'

Juliette stond op en pakte de wijnglazen van tafel om ze naar de keuken te brengen. 'Ik dacht dat jij zo moe was gisteravond. Ga je mee naar boven, of blijf je liever hier zitten?'

Meer aansporing had Frank niet nodig. Hij zette de tv uit, deed de voordeur op het nachtslot en liep met Juliette mee.

Boven aan de trap hing de Venetiaanse spiegel die hij twee jaar geleden van Juliette voor zijn verjaardag had gekregen, en hij keek erin en schrok. Het was niet zozeer dat hij zijn gezicht weerspiegeld zag, maar dat het gezicht in de spiegel hem aankeek en zijn blik vasthield, en hem volgde en hem niet meer wilde laten gaan.

Ze lagen naast elkaar in bed, en toen wat minder naast elkaar.

Frank deed wat er van hem mocht worden verwacht

en een te vlugge ontlading van zijn kant bleef dit keer uit. Soms betekende uitstel van executie een zegen.

Kort daarna lagen ze voor de tweede keer deze avond naast elkaar in bed en Frank wilde de schemerlamp op zijn nachtkastje uitdoen.

'Frank,' zei Juliette toen hij overeind kwam om naar de schakelaar te reiken, 'een gekke vraag misschien, maar... was jij je wel goed?'

'Waar héb je 't over?'

'Niet om het een of ander maar je ruikt een beetje. Het viel me al eerder op, iets mufs of vochtigs. Ik vind het vervelend om erover te beginnen maar... Van de week, toen je thuiskwam, dacht ik dat het aan je vakantiekleren lag, of aan de lange autorit. Maar nu ruik ik het weer, dus het zit niet in je kleren. Sorry dat ik het zeg.'

Ze schoof iets omlaag in bed. 'Het geeft niet, Frank. Daar kun je weinig aan doen, als je je goed wast. Ik weet niet wat het is. Hoe dan ook, het geeft niet, het doet er niet toe.'

Ze trok het dekbed hoger op zodat het haar mond en neus bedekte. 'Laten we gaan slapen, Frank. Morgen moeten we allebei vroeg op en nu liggen we er zowaar opnieuw bijtijds in dus... Doe jij het licht uit?'

Het werd donker in de kamer en Frank draaide zich op zijn zij en van haar af.

'Het geeft niet, Frank,' zei Juliette. 'Er zijn ergere dingen.'

24

'Het slechte weer schijnt aan te houden,' zei Nicole kort nadat ze waren opgestaan. Ze zaten op de loggia aan de koffie.

'Hoe weet je dat?' vroeg Frank. Hij deed zijn best geïnteresseerd te klinken maar erg belangstellend was hij niet. Met een schuin oog keek hij naar de bestelwagen die er al had gestaan voordat hij vanochtend vroeg de loggia op liep.

'Uit de krant hier,' zei Nicole, 'de *Aujourd'hui* die we gisteren kochten. Ik blader hem nu pas door.'

Frank besloot de bestelwagen te negeren en keek zorgeloos om zich heen. De zon scheen, de weinige wolken die er waren dobberden speels rond en niets wees erop dat er verandering op til was. Afgaande op het huidige weerbeeld zat de krant ernaast.

'Mag ik de autosleutel?' zei Nicole. Ze stond op en streek de stof van haar jurk glad. 'Ik ga brood halen. Dan kun jij blijven zitten.'

'Doe je voorzichtig?' zei Frank terwijl hij de sleutels overhandigde.

'Nee,' antwoordde Nicole, 'dat doe ik niet, dat was ik nou eens helemaal niet van plan, om "voorzichtig" te zijn', en weg was ze.

De weersvoorspelling zat er niet naast, want om een uur of elf betrok de lucht. Daar bleef het niet bij. Toen ze tegen het eind van de ochtend naar binnen gingen, zag Nicole iets waarvan ze schrok.

'Kijk nou eens!' riep Nicole. 'Moet je kijken, Frank.' Ze wees naar het donkere houten plafond dat hoog boven hen de onderkant van het dak vormde.

'Kijk dan,' zei ze, 'zie je dat niet?'

'Wat moet ik zien?' vroeg Frank.

'Die verfspetters! Die verfplekken op de houten latten en balken, die zaten er gisteravond nog niet! En die hebben er ook nooit eerder gezeten, dat weet ik zeker, anders was het me echt wel opgevallen. Nee, dit is nieuw.'

Op een aantal latten en op enkele zware balken die het dak droegen waren grove sporen waarneembaar, grijzig; alsof er slordig verf was aangebracht die op sommige plekken nog niet droog was.

'Toen ik brood haalde,' zei Nicole, 'daarstraks, in Saint-Alban, bij die bakker die vanaf morgen overigens met vakantie is, toen was jij toch thuis? Jij bent toch al die tijd thuis geweest, of niet soms?'

'Wat denk je, Nic, jij had de auto toch mee?' bevestigde Frank. 'Ik heb met mijn voeten in het riviertje beneden gezeten, een kwartier, niet langer, daar was het water te koud voor. Verder ben ik al die tijd in en om het huis bezig geweest. Als er iemand zou zijn langsgekomen, om achterstallig onderhoud te plegen of om de boel in de grondverf te zetten, dan zou ik dat hebben gemerkt.'

Ze staarden naar het plafond, dat zo hoog was dat ze er onmogelijk bij konden zonder eerst ergens een grote ladder vandaan te halen.

'Geen idee wat het is,' zei Frank. 'Vocht misschien? Daar heeft het nog het meest van weg, van vochtdoorslag. Dat moet het wel zijn, vochtplekken.' Frank schudde zijn hoofd. 'Dat moet het zijn, meer kan ik er niet van maken.'

Het was geen verklaring waar Nicole veel geloof aan hechtte, maar het verschijnsel op het plafond was niet van dien aard dat ze er lang bij stil wenste te staan. 'Goed,' zei Nicole. 'Vochtdoorslag. Laten we het daarop houden. Ik ga naar boven om me te verkleden. Zie je straks.'

'Wacht even,' zei Frank, 'wat me opeens te binnen schiet...'

Hij vertelde over de kleine plekken op de overloop, op sommige van de bruine plavuizen onder het plafond. Dat moest dan eveneens van het vocht zijn. 'Die had ik eerder gezien,' zei Frank, 'die wit uitgeslagen plekken. Maar het leek me niets bijzonders, en ik heb er verder geen aandacht aan besteed.'

Ze liepen de trap op naar de overloop. De plekken zaten nog altijd op de tegels, met een vergelijkbare slordige regelmaat als de sporen tegen het dak. Frank bukte zich en wreef erover met zijn vingers, maar het wittige spul was droog en gaf niet af, en daarmee verviel de mogelijkheid dat het om vochtplekken of vochtdoorslag zou gaan.

Nicole haalde haar schouders op. Ze was niet van plan zich gek te laten maken hier, verfsporen of schimmel of wat-het-dan-ook-wezen-mocht, het was vakantie, ze waren hier om te genieten. En ze liep de slaapkamer in, want als het zo doorging kwamen ze nooit weg en dreigde een verloren dag.

Algauw was Nicole terug op de loggia, waar Frank op haar wachtte met de autosleutel in zijn hand.

'We hebben niks nodig, eigenlijk. Ik heb in de keuken gekeken, in de ijskast en in de bijkeuken, maar we hebben genoeg in huis. We hoeven niet weg.'

'Nou,' zei Frank, 'dan blijven we toch hier?'

Het onweer brak niet ogenblikkelijk los, dat niet. Maar toen het eenmaal zover was, maakte het noodweer geen haast en gaf de kloof ervanlangs. Pas tegen tweeën nam het natuurgeweld af.

De kloof was er zonder kleerscheuren van afgekomen – er lagen nogal wat bomen om en er waren her en der gaten in de weg naar Saint-Thomé geslagen, maar niets wat niet binnen een paar dagen kon worden hersteld. De kloof herademde; en Frank gooide de emmers leeg die onder het lekkende dak hadden gestaan.

De wittige plekken prijkten nog op de latten en balken van het plafond. Frank en Nicole keken nu en dan omhoog, maar gingen er verder schouderophalend aan voorbij: de rode en zwarte schorpioentjes, die waren hinderlijker, vond Nicole.

Toen het bijna droog was, liep Frank naar buiten om te kijken hoe het met zijn auto was gesteld. Dat viel mee; de auto was niet weggespoeld maar stond bijna op dezelfde plek waar hij hem gisteren had geparkeerd. Nicole had, anders dan hij vreesde, na terugkomst van de bakker de autoramen niet opengelaten.

Een paar uur later, toen de zon gul scheen en de grond was opgedroogd, kon je niet anders vaststellen dan dat de natuur een geslaagde opknapbeurt had ondergaan.

Ondanks het vroege uur, het liep tegen vieren, was de bestelwagen al weg. Een ogenblik overwoog Frank om er tegen Nicole iets over te zeggen, maar hij besloot het erbij te laten. In plaats daarvan maakte hij haar een compliment dat ze de autoramen niet was vergeten, iets wat haar in Den Haag regelmatig overkwam.

Nicole zei niets maar kuste hem en pakte Franks hand, en ze liepen de trap op naar boven.

Niet veel later kwam Nicole klaar, maar bij Frank wilde het niet lukken.

'Het geeft niet, Nic,' zei hij. 'Het geeft niet. Dat komt wel weer, vanavond misschien. Of niet... het doet er niet toe, het geeft niet.'

25

Hoe vroeg Frank ook opstond en de loggia betrad, elke ochtend stond de bestelwagen op zijn vaste plek aan de overkant geparkeerd, alsof het een abonnementhouder en een stallingruimte betrof. En nooit zag Frank iemand uit- of instappen. 's Avonds was de auto meestal vertrokken als hij en Nicole terugkwamen van een uitstapje in de omgeving.

Zonder dat het hem uit zijn slaap hield, de bestelauto en de niet-zichtbare chauffeur, hield het hem toch bezig. Misschien omdat het vakantie was en hij niet veel omhanden had, geen bezigheden die dringend zijn aandacht opeisten, waardoor zulke betrekkelijk onbeduidende details je eerder opvallen.

Frank had besloten het onderwerp te laten rusten en er Nicole niet mee lastig te vallen; dat leek een wijs besluit en het kostte hem geen moeite zich daaraan te houden. Toch bleef hij benieuwd naar wie de bestuurder was en of er andere inzittenden waren, en met welk doel de auto telkens op zijn vaste plek aan de overkant verscheen.

Tot hij het op een middag opeens zat was.

Nicole was boven in de slaapkamer en zou zo beneden komen, want ze wilde graag zwemmen. De bestelwagen stond aan de overkant van de wijnvelden, bijna alsof de auto Frank wilde provoceren met zijn aanwezigheid. Werd hij soms in de gaten gehouden? Maar door wat of wie dan, en waarom?

De stipte aan- en afwezigheid van de auto begon aan zijn vakantieplezier te knagen. Zou dat de rest van hun verblijf zo doorgaan? Daar had hij weinig trek in.

Frank liep de trap af naar de tuin, volgde op zijn gemak de loop van de beek naar beneden zodat het voor iemand die hem mogelijk in de gaten hield niet opviel dat hij iets van plan was, en kwam bij het riviertje op het laagste punt in de kloof. Hij waadde door het water en haastte zich toen tegen de helling op aan de andere kant. De hele oversteek kostte hooguit tien, twaalf minuten. Toen hij buiten adem boven kwam, bij het pad langs de wijngaard, was de auto weg.

Frank wachtte een poosje, speurde links en rechts het verharde pad af, en keek naar het huis dat hoger op de berg te koop stond en naar het woonwagenkamp waar niemand zich liet zien of horen, geen baby of spelende kinderen noch een blaffende hond.

Onverrichter zake keerde Frank terug naar het vakantiehuis, in een aanzienlijk rustiger tempo. Terwijl hij het riviertje doorwaadde en tegen de helling aan zijn kant van de kloof omhoogklom, drong het tot hem door dat hij niet alleen geen bestuurder had gezien – daar was hij inmiddels aan gewend – maar dat hij geen motor had horen starten; en zo veel lawaai was er niet in deze praktisch onbewoonde kloof.

's Nachts onweerde het opnieuw en de regen kwam harder naar beneden dan tevoren. Ze hoorden aanhoudend gedruppel in de aangrenzende slaapkamer. Niet zo verwonderlijk: het dak lekte op talloze plekken, in meerdere slaapkamers.

Halverwege de nacht gutste de regen van de balken en zat er weinig anders op dan zo veel mogelijk pannen, emmers en teilen naar boven te brengen om het water op te vangen, anders lekte het door de vloer en zou het mogelijk ook de benedenverdieping ruïneren.

'Ik hoop niet dat dit zo blijft,' zei Nicole, 'want dan had ik beter thuis kunnen blijven. Dit is geen doen.

Ik heb gebeld hoor,' vervolgde ze, 'over die lekkages, en dat het steeds erger wordt, en er zou iemand langskomen om het te verhelpen, maar dan moet je net die Fransen hebben. Al regenen we het terrein af, die komen het dak pas repareren als wij op de terugweg naar Nederland zijn.'

Later viel ook de stroom uit, een storing die enkele uren aanhield.

Tegen de ochtend was de stroomvoorziening op orde en een paar uur later konden de pannen, emmers en teilen naar beneden, de bijkeuken in. De zon kwam terug, evenals de blauwe lucht, en de boerderij werd weer vakantiehuis; afgezien van het dak, dat met spoed diende gerepareerd.

Naar de plekken op het plafond en op de plavuizen keken ze niet meer om. Dat hoorde bij een oude boerderij, meenden Frank en Nicole. Dat vocht of-wat-het-ook-was, was een zorg voor de eigenaar, niet voor hen.

—

's Nachts trippelden de muizen als gebruikelijk over het dak. Te horen aan de drukte hadden ze het naar hun zin.

Nicole ging naar de wc en riep toen Frank of hij snel wilde komen. De muizen waren het probleem niet, wel de twee schorpioenen op de muur van de badkamer en een derde die tegen de muur van de overloop richting het plafond kroop, ongenode bezoekers waar ze graag van af wilde voordat ze een van hen ongevraagd tussen de lakens zou aantreffen, en of Frank een handje wilde helpen.

Frank pakte een schoen en maakte korte metten met de visite. De muizen hielden zich hierna een poosje gedeisd en wachtten tot de tijdelijke bewoners van het huis in bed lagen.

Even voor halfvier werd Frank wakker van hernieuwd geritsel op het dak en van knaaggeluiden diep in een van de hoeken van de slaapkamer.

'Vind je het erg als ik blijf liggen?' vroeg Nicole slaperig. 'Dit kun je wel alleen af, die paar muizen, toch?'

Toen Frank zijn lamp aanknipte en omhoogkeek, zag hij de oogjes schitteren van een muis op de draagbalk boven hem. De muis, een fors exemplaar, vluchtte niet weg voor het plotselinge licht of voor Frank, maar bleef zitten en keek hem brutaalweg aan. Pas toen Frank uit bed kwam, een bezem uit de gangkast pakte en daarmee naar boven zwaaide, maakte de muis dat hij wegkwam.

Met de bezemsteel stootte Frank een paar keer tegen het houten plafond, en het geritsel liet zeker tien minuten op zich wachten. Toen renden de muizen opnieuw over het dak. In de slaapkamer zelf bleef het stil, zowel in de verste hoeken van het vertrek als op de dwars- en draagbalken.

De nacht kon alsnog beginnen, ware het niet dat het voorzichtig licht begon te worden.

—

'Dit is een van de mooiste plekken waar we ooit hebben gezeten, vind je niet?' zei Nicole toen ze 's ochtends de loggia op liep, 'de mooiste plek misschien zelfs.'

Nicole had geen last gehad van de muizen, had Frank maar één keer uit bed horen gaan en Franks stevige tikken met de steel tegen het houtwerk alleen vaag gehoord. Afgezien van het incident met de schorpioentjes had ze goed geslapen en ze voelde zich uitgerust. Nicole stak naar eigen zeggen goed in haar vel vanochtend.

'Met die kloof,' vervolgde Nicole, 'de bergen en de bossen en die wijngaarden, en het riviertje beneden en dat kraakheldere water... Mooier kan bijna niet. Dit is toch een plek waar je terug wilt komen?'

Frank wilde het beamen, maar hij zag de bestelwagen uit de ochtendnevel komen en erg overtuigend klonk zijn bevestiging niet. Nicole had op iets meer enthousiasme gehoopt, maar drong niet verder aan.

Laat in de middag vertrokken ze naar Viviers. Er moest brood worden gehaald en dat kon niet in een van de dorpen tussen hun vakantiehuis en Viviers. Ze passeerden Saint-Thomé, het dorp dat hoog boven hen op de bergtop lag, kwamen door Les Crottes, een gehucht dat uitgestorven leek, en reden Saint-Alban in. Er werd aan de weg gewerkt, de linkerrijstrook was afgesloten, zodat je niet harder dan dertig mocht, iets waar geen Fransman zich aan hield, die jakkerden door.

Frank wees uit het autoraam. Op een van de plastic stoeltjes voor zijn wagen zat een pizzabakker. Het plein was leeg en het zag er niet naar uit dat zich spoedig een klant zou melden. Toen waren ze door Saint-Alban heen.

In Viviers bevond zich een boulangerie in de hoofdstraat, de D86, die het stadje in tweeën sneed. Het was te druk om in de straat te parkeren, ook omdat verderop een begrafenis plaatsvond die het doorgaande verkeer hinderde: een kist met een bloemenkrans en witte linten op het deksel werd de kerk in gedragen. De begrafenisgangers stonden op straat te wachten tot de kist naar binnen was om daarna de overledene te volgen. Daarom zette Nicole

Frank af voor de deur van de bakker. 'Ik keer om bij die rotonde aan het eind van Viviers, en parkeer dan aan de overkant van de bakkerij. Ik blijf achter het stuur zitten want je mag hier niet staan.

Natuurlijk gaat me dat lukken, Frank,' zei Nicole. 'Waarom niet? Moet jij eens opletten.'

Frank was de enige klant in de bakkerswinkel.

'Bonjour monsieur,' zei de jonge vrouw die van achter uit de zaak tevoorschijn trad. Ze glimlachte vriendelijk en Frank glimlachte vakantievriendelijk terug.

Hij kocht twee *baguettes* en een *pain gris* waarvan hij wist dat hij er Nicole een plezier mee zou doen en vroeg toen wat de appelflapachtige taartjes in de vitrine waren. *Chaussons* stond er op het bordje dat in een van de twee lekkernijen stak.

Een chausson, legde ze uit, was bladerdeeg gevuld met appel, *pomme*.

'Ah,' zei Frank, 'niet met *pomme de terre?*'

'Mais non,' zei ze en ze lachte. Nee, pomme de terre kwam er niet aan te pas, aardappel gebruikten ze voor iets anders.

Er klonk getoeter: aan de overkant stond Nicole geparkeerd, en Frank rekende af en groette. De vrouw kwam achter de toonbank vandaan om de deur achter hem te sluiten.

'Wat heb je gekocht,' vroeg Nicole, 'toch geen zoetigheid, hè?'

Terwijl ze gas gaf en optrok keek ze opzij, naar de winkel. 'Was het wat, die bakkerij en die bakkersvrouw?'

'Ik heb nog niet geproefd,' zei Frank, 'ik heb geen idee. Ik heb er nog geen hap van genomen, ook niet van het stokbrood, dat zag je toch?'

'Zo vaak maak je het niet mee met Fransen,' zei Nicole terwijl ze bijna stapvoets de kerk passeerden waar de uitvaart plaatsvond, 'dat ze de deur allervriendelijkst voor je openhouden en achter je dichtdoen. Liever toeteren ze je van de weg zoals zo-even in dat Saint-Alban, dus ik vroeg me af... Zo'n gehandicapte indruk maak je niet, dat ze de deur voor je moet openhouden. Wat heb je haar op de mouw gespeld, schat?'

Frank vertelde over de chaussons en het verschil tussen 'pomme' en 'pomme de terre'.

'En dat vond ze zo geestig,' zei Nicole, 'dat van die "aardappel", dat ze spontaan de deur voor je openhield. Je moet er toch niet aan denken wat er zou gebeuren als jij op je leukst doet in die bakkerszaak, wat we dan gaan beleven.'

Even buiten Viviers zette Nicole de auto aan de kant, en ze wisselden van plek. Nicole hield niet van autorijden en was blij dat ze het stuur aan Frank kon overgeven.

Op de terugweg door Saint-Alban zat de pizzabakker op zijn geïmproviseerde terras te wachten op wat komen zou. Had hij iets op zijn kerfstok en werd hij stilzwijgend geboycot door het dorp, dat geen inwoner zich in de nabijheid van zijn kar waagde? Als hij het van de klandizie in Saint-Alban moest hebben, leed hij een karig bestaan.

'Vertel,' zei Frank, 'zou je hier willen wonen?'

'Ik?' antwoordde Nicole. 'Voor geen goud.'

'Gek is dat,' zei Frank. 'Vanochtend was je nog zo enthousiast over deze streek dat je er best zou willen terugkomen.'

Er klonk geclaxonneer. Frank hield zich aan de dertigkilometerlimiet, wat hem op getoeter en lichtsignalen van een Franse automobilist kwam te staan, die hem vervolgens druk gesticulerend inhaalde op de weghelft voor het tegemoetkomend verkeer. Er kwam juist een tegenligger aan: een vrachtwagen die op zijn beurt claxonneerde en met groot licht knipperde: zo hielpen de Fransen elkaar met gezwinde spoed het dorp door.

'Het kan zijn dat ik dat vanochtend heb gezegd,' zei Nicole, 'dat zal best. Het is leuk hier, voor een week of wat, maar zeg nou zelf, langer dan dat en het begint behoorlijk op je zenuwen te werken, het Franse platteland.'

Nicole keek niet naar buiten maar bestudeerde haar nagels. 'Ik weet niet wat je van plan bent, schat,' zei ze, 'maar als jij hier een huis wilt of een tweede huis... Je gaat je gang maar, mijn zegen heb je, maar ik blijf in Den Haag. Dan kom ik je af en toe opzoeken om te zien hoe geweldig jij het hier naar je zin hebt, goed? Als ik maar niet mee hoef. Dat daar geen misverstand over bestaat.'

Ze reden onder Saint-Thomé langs en Frank gaf gas: een paard dat de stal rook.

'Vanochtend zei je nog,' drong Frank aan, '"We komen hier met veel plezier, elk jaar weer", waarom zou je dan niet willen overwegen om...'

'Ik heb me bedacht,' zei Nicole. 'Zo erg is dat toch

niet? Het kan je soms opeens aanvliegen, de eenzaamheid van de omgeving, en de leegte. En nu we het er toch over hebben... Vanwege de verwachte vakantiedrukte zaterdag dacht ik: misschien is het een idee om eerder te vertrekken, om een dag eerder op huis aan te gaan. Dan vermijden we de files en kunnen we doorrijden. Dat is een stuk minder vermoeiend en we zijn een dag eerder in Den Haag, wat mooi meegenomen is. Is dat een idee? Ik heb het wel zo'n beetje gezien hier.'

'Eerder teruggaan?' zei Frank. 'Nou moet je ophouden, Nic. Je weet dat ik overweeg om hier eventueel langer te blijven om te kunnen werken, en dan kom je met zo'n suggestie?'

'Dat werk kun je in Den Haag ook doen, daar hoef je niet per se hier voor te zitten, of wel soms? Bekijk het eens van de positieve kant, lieverd. Zoals gezegd, dan blijft een hoop van het fileleed ons bespaard, zijn we eerder terug in Den Haag en kan ik vrijdagavond al naar Renate en Kasper toe, en als jij daar geen zin in hebt kun jij aan je werk. Dat is zo'n vreemd voorstel toch niet, of vind je van wel?'

'Het zit er nog steeds,' zei Frank. Nicole was in de keuken bezig.

'Wat?'

'Die vochtplekken, tegen het plafond,' zei Frank. 'Die zitten er nog steeds.'

'O ja, is dat zo?' zei Nicole. 'Lekker laten zitten. Mij zitten ze niet in de weg.'

26

Frank wilde geld opnemen en wijn halen en hij stopte op een weids, braakliggend stuk grond aan de rand van Viviers, een terrein waarop volgens een aannemersbord spoedig met de bouw van studio's en appartementen zou worden begonnen. Maar dat spoedige begin zou beslist loslopen; op een deel van het terrein stonden campers en caravans broederlijk bijeen en die zouden er over een paar maanden waarschijnlijk nog staan. Wie hier parkeerde zat de bouw vooralsnog niet in de weg en werd niet een-twee-drie door de gendarmerie weggesleept, ook een vakantieganger niet. En dan nog. Aan de overkant van hun vakantiehuis op Mont Céleste was ook gebouwd, maar die Franse aannemer had allesbehalve haast gemaakt. Er werd dag in dag uit oeverloos gepraat en koffiegedronken en om halfdrie was iedereen vertrokken. Wel was een klein gat in de oprit naar het te bouwen huis na een dag gedicht, dat moest je de werkers nageven. Kortom, met de bouw hier in Viviers zou het zo'n vaart niet lopen:

Franks auto stond niemand in de weg.

'Frank,' zei Nicole, 'kun jij die dingen alleen af, pinnen en wijn halen? Daar hoef ik met mijn neus niet bovenop te staan, en ik wilde graag kijken of ik iets leuks voor de kinderen kan vinden. Dan zien we elkaar straks op het plein niet ver van de kathedraal, afgesproken? Haast je niet, doe rustig aan.'

Frank haalde geld bij de automaat om de hoek van het office de tourisme, liep de hoofdstraat in en stak over naar de boulangerie. Het was anders dan de vorige keer druk in de winkel, maar de bakkersvrouw glimlachte toen hij binnenkwam, begroette hem met een vrolijk 'Bonjour' en voegde daar een nog vrolijker 'Monsieur Pomme de Ter-re' aan toe en lachte naar hem: twee klanten keken om, benieuwd aan wie deze hartelijke ontvangst ten deel viel.

Lang hadden ze niet ditmaal, want na Frank kwamen nieuwe klanten binnen; maar toen Frank naar de chaus-sons in de vitrine wees kreeg hij er een extra mee, 'gra-tuit'. Hij pakte de twee baguettes van haar aan en zag haar naam op het papier om de stokbroden staan.

'Bonjour Florence,' zei hij.

'À bientôt,' antwoordde ze. Achter hem viel de deur dicht, maar hij hoorde op de stoep de winkelbel aange-naam helder narinkelen.

'Heb je brood gehaald?' zei Nicole verbaasd. 'We hadden toch genoeg? Tenminste, dat dacht ik. Ik kan me vergis-sen maar... O, ik begrijp het al. Ach schat, hou op, dat meen je toch niet, hè? Word je daar niet een beetje te oud voor, voor zulk soort spelletjes? Vertel, hield ze de deur opnieuw voor je open, voor "monsieur pomme de terre", en deed ze hem opnieuw achter je dicht, of viel haar reactie een tikkeltje tegen deze keer? Vergis ik me of kijk je iets somberder?'

Aan een terrastafel opzij van Nicole zaten drie Françaises aan de pastis. Twee van hen droegen een bloemetjesjurk. Frank schatte hen een eind in de zestig. De ober, een jonge man wiens haar met gel strak en glanzend naar achter zat, kwam het café uit en zette een nieuw glas voor een van hen neer, streek met zijn hand na het neerzetten licht over haar hand en beroerde toen haar schouder. Ze keek glimlachend naar hem op en raakte nonchalant zijn arm aan.

De ober haalde de lege glazen weg en liep, toen hij zag dat iedereen op het terras voorzien was en hij naar Frank had geknikt ten teken dat hij diens opgestoken hand had bemerkt en bij hem zou komen, naar binnen, de donkerte van het café in.

'Kijk,' zei Nicole en ze wees met haar hoofd naar de ober die uit het zicht was verdwenen, 'vind je dat nou geen knappe man?'

Toen de ober kwam om Franks bestelling op te nemen keek Nicole de ober vriendelijk aan en vroeg om een nieuw glas rouge. Ze gingen hier vaste klant worden wat Nicole betreft, voor zolang de vakantie duurde, desnoods zonder Frank. Ze kon het hier langer volhouden dan ze vooraf had ingeschat. Dat een-dag-eerder-naar-Den Haag-vertrekken was bij nader inzien misschien toch niet zo'n geslaagd idee.

Nadat ze uit Viviers waren vertrokken, bleken beide weghelften van en naar Saint-Alban wegens werkzaamheden afgesloten. Een spandoek boven de weg kondigde een *déviation* aan; Frank diende de borden met een U te volgen voor een alternatieve route. Er zat weinig anders op, en via een lange omleiding belandden ze op een verharde weg die met kronkels en heuvels en springerige bergpassages naar Saint-Thomé zou leiden. Maar Frank miste een afslag, de bewegwijzering liet te wensen over; de borden met een U waren met de Franse slag geplaatst, en zo dwaalden ze geruime tijd door onbekend terrein.

Terwijl ze met open ramen door de bossen reden werd het steeds stiller om hen heen en in de auto. Gaandeweg raakte je allerlei ballast kwijt, en verstomden de geluiden, dacht Frank, terwijl hij de auto door de bochten stuurde. Zo leek er vanmiddag in de autocabine een stilte bij gekomen; maar daar begon hij tegen Nicole niet over.

Het werd stiller en je raakte veel kwijt. Tot je je botten overhield, overwoog Frank; die waren als laatste bereid om je van een steuntje in de rug te voorzien, botten die soms tweedehands aanvoelden of een geleende indruk maakten, verstrekt door een organisatie waarvan je de bewindvoerder nooit leerde kennen. Tot ook zij, de beenderen, het voor gezien hielden en er de brui aan gaven. Dan werd het werkelijk stil om je heen en was je nagenoeg alles kwijt en op jezelf aangewezen, en met dat weinige moest je dan verder.

Nicole en Frank waren bekaf toen ze bij de zijdeboerderij aankwamen. 'Ik begrijp er niets van,' verzuchtte Nicole, 'want zo slecht heb ik vannacht niet geslapen.'

Kort na hun aankomst vertrok de bestelwagen zonder dat Frank er dit keer veel acht op sloeg. Hij zocht het maar uit, de bestuurder van die auto, dacht Frank. Als hij daar plezier aan beleefde, om ongezien te komen en te gaan, moest hij dat vooral blijven doen. Hij bekeek het maar. En mocht er niemand achter het stuur zitten, dan bekeek die bestelwagen het zelf maar.

27

'We moeten echt nog naar Saint-Thomé,' had Nicole gezegd. 'We rijden er alleen maar langs steeds, om ons afval en de lege flessen in de container te gooien. Straks vertrekken we en hebben we het hele gehucht niet gezien.'

's Ochtends waren ze naar het dorp gereden, de berg op, en hadden hun auto op de parkeerplaats voor bezoekers neergezet, om te voet verder te gaan. Erg groot was de parkeerplaats niet: dat was niet nodig want behalve hen waren er geen toeristen, ofschoon ook de Fransen vakantie hadden. Saint-Thomé was niet erg in trek; en daar kon je je iets bij voorstellen want veel te bezichtigen viel er niet. Er was een kasteel dat privé-eigendom was en daardoor niet toegankelijk voor belangstellenden, en er waren een kerk en een kapel, die weliswaar niet uitblonken in lelijkheid maar evenmin in schoonheid: Saint-Thomé was het omrijden nauwelijks waard. Na anderhalf uur hadden ze het voor gezien gehouden en waren ze terug naar huis gereden, een afstandje van niks.

Het enige wat Frank van het bezoekje zou bijblijven, was de komst van een donkere wolk boven het bergdorp, toen hij en Nicole van het uitzicht op de vallei en de bergen rondom wilden genieten, een wolk die aanzwol en de zon tijdelijk verduisterde.

'Moet je zien,' had Frank gezegd, en hij had naar de lucht gewezen. Maar Nicole wenste daar geen voorteken in te zien, in die plotselinge schaduw. Bovendien ging het om een lichtafname van strikt tijdelijke aard, want terwijl ze terugwandelden naar de parkeerplaats was de verduistering alweer voorbij en de regenwolk door een hoge bries aan flarden getrokken.

De natuur beschikte over een goedwerkend zelfreinigend vermogen, kon Frank vaststellen, en hield haar pionnen aardig in toom.

—

'De kathedraal van Viviers,' zei Nicole, 'schijnt de moeite waard te zijn. De vorige keer zijn we niet verder gekomen dan dat onafgemaakte ding in... Hoe heette dat plaatsje?'

'Capestang,' zei Frank.

'Dat bedoel ik. Capestang. Dat je dat nog weet. Capestang, met die half affe kerk. Dat hebben ze in Viviers beter voor elkaar, iets voltooids.'

Frank kon zo gauw geen zinnig argument bedenken om niet naar Viviers te gaan en zodoende reden ze tegen twaalven voorbij de romaanse brug: een relikwie uit de oudheid dat in reisgidsen werd geroemd maar door niemand meer bezocht, daarvoor lag de brug te ver buiten het centrum van Viviers – die moeite nam de gemiddelde toerist niet.

Frank wilde de auto opnieuw op het braakliggende terrein aan het begin van het stadje parkeren en van daar de hoofdstraat in lopen. Dat leek een alleszins eenvoudige opgave, maar het kostte hem moeite om te bepalen waar hij zijn auto wilde neerzetten, in verwarring gebracht door de leegte van het terrein; en nadat hij de auto een vak in stuurde en Nicole wilde uitstappen, beduidde hij haar te blijven zitten. Sommige dingen luisterden nauw. Dat ging hij haar nu niet uitleggen, ze waren tenslotte op vakantie, maar soms... Millimeterwerk.

'Ach, laat toch,' zei Nicole. 'Er is geen kip hier, wat maakt het uit, Frank? Of ben je soms bang dat je wordt weggesleept?'

Dat zag Frank anders, en hij reed de auto voor- en achteruit tot alle vier de wielen in één parkeervak stonden.

'Is 't goed zo?' informeerde Nicole. 'Tevreden? Kunnen we dan nu eindelijk gaan?'

'Goed nieuws,' zei Frank toen ze voorbij café De L'Horloge kwamen. 'Er is voor de verandering eens geen uitvaart vandaag. Prettig om te weten dat er dit keer van niemand afscheid wordt genomen.'

Nicole zag een *Atelier d'Artisan* aan de overkant van de hoofdstraat, een pottenbakkerij, en ze wilde graag naar binnen.

'Loop jij vast door,' zei Nicole, 'naar de kathedraal verderop. Zien we elkaar daar. Ik bedoel, jij gaat je toch niet lopen vervelen, is 't wel?'

Nee, antwoordde Frank, hij zou zich zeker niet vervelen en hij wilde doorlopen toen Nicole hem achternariep.

'Eén ding, schat,' zei ze. 'Eén kleinigheidje. Ik weet niet wat je gaat doen en-het-maakt-me-ook-niet-uit, maar je hoeft geen brood te halen. Ik heb voor we vertrokken nog gekeken en we hebben niks nodig, ook geen "chaussons". Ik waarschuw je vroeg genoeg als we brood tekortkomen, afgesproken?'

Toen liep ze naar de trottoirrand; er was een luwte in het verkeersaanbod en de ene vrachtwagen die naderde en volgens een gifgroen opschrift veevoer transporteerde, stopte voor haar. Nicole knikte dankbaar, stak de weg over en verdween in het Atelier.

'Bonjour!' zei Florence toen hij de bakkerswinkel binnen kwam.

Het was druk in de winkel en de klanten wensten snel te worden geholpen. Men stond zonder morren in de rij voor het brood van deze boulangerie – de bakkerij had haar zaken voor elkaar, maar er was nu geen tijd voor een woordspeling of een knipoog.

Het viel Frank op dat ze zich had opgemaakt en er nog aantrekkelijker uitzag dan de dagen ervoor, maar hij was niet zo ijdel dat hij dacht dat ze zich voor hem had opgemaakt: Florence zou er ongetwijfeld een andere en betere reden voor hebben.

Frank beantwoordde haar glimlach en liep met zijn

chausson naar de overkant en ging op de bank voor het office de tourisme zitten om de traktatie op te eten.

De chausson was beter van smaak dan hij zich herinnerde en hij veegde zijn vingers af aan het zakje waar de naam van de bakkerij op was afgedrukt, samen met de naam van haar en haar man, Laurent. Hij verfrommelde het zakje tot een prop, gooide het in de afvalbak en liep door de middeleeuwse straten van Viviers in de richting van de kathedraal, de Saint-Vincent.

Van veel huizen stonden de ramen open, want hoewel de zon scheen reikte het zonlicht niet of nauwelijks tot in de woonvertrekken, die benauwend donker bleven en zo op het oog wel wat licht en frisse lucht konden gebruiken.

Een stel katten sjokte zonder veel geestdrift rond, wantrouwend jegens de plaatselijke bevolking; zodra een inwoner zich op straat vertoonde, glipten de zwerfkatten onder een garagedeur door, of door een ruw gat of grove opening in een houten voordeur: zij kenden hun pappenheimers en namen geen risico.

Frank kwam in de buurt van de kathedraal en liep door een nauw straatje waar een huis als een smalle brug overheen was gebouwd. Drie jongens sleutelden aan een kapotte scooter. Uit het raam van het huis boven de straat hing een man: hij was niet aangekleed maar had een onderhemd aan dat waarschijnlijk lang niet was gewassen en grijs oogde.

Er zat scheerschuim op zijn kaken en hij hield een scheermes in zijn hand, en hij riep iets bozigs naar de jongens in een soort Frans dat Frank niet machtig was. De drie reageerden niet. Pas toen de man zijn tirade opnieuw afstak, een stuk bozer en luider, keek een van hen op en toonde de man zijn middelvinger – over de betekenis van dit gebaar kon geen misverstand bestaan en woedend trok de man zich terug in het vertrek. Terwijl hij uit het zicht was verdwenen kon je hem horen vloeken en tekeergaan. Zou hij met het scheermes naar buiten komen om de jongens een lesje te leren? Frank bleef even staan kijken, maar toen er te lang niets gebeurde wandelde hij verder.

Korte tijd later kwam Nicole over het plein voor de kathedraal aangelopen.

Ze had niets gekocht, nog niet, want als ze nu wat kocht moest ze de aankopen de verdere middag meesjouwen; maar ze had erg leuke dingen gezien, er zat zeker iets bij wat ze wilde hebben, of anders wel iets voor de kinderen, en als hij meeging zou ze hem laten zien wat ze bedoelde en konden ze knopen doorhakken.

'Goed,' besloot ze, 'de kathedraal. Ga je mee, schat, want daar zijn we hier tenslotte voor.'

De gobelins waren indrukwekkend en het marmeren altaar eveneens. Daar kon de kathedraal van Capestang niet aan tippen; die moest het van het onaffe hebben.

Maar het meest bleef Frank het kruisbeeld bij, dat aan de rechterkathedraalmuur bevestigd was.

Traditiegetrouw hing Jezus aan het kruis met de armen wijd en met samengebonden voeten: de Jezushouding die men wereldwijd van hem gewend is. Onder zijn voeten kringelde een slang over een appel en om een doodshoofd heen: een schedel met twee beenderen eronder als op een piratenvlag. De bovenkaak van de schedel was technisch in orde, constateerde Frank, met alle tanden en kiezen present; daar viel voor een tandarts geen eer aan te behalen.

Maar bij de onderkaak ontbraken enkele tanden en twee kiezen. Ook de dood moest soms een veer laten, en kon bij de uitoefening van zijn taak niet voetstoots bogen op een gaaf gebit.

Verder week de Saint-Vincent niet erg af van wat onder kathedralen gebruikelijk is en Nicole en Frank liepen eerder dan verwacht terug richting de deuren, die vanwege de warmte openstonden. Achter hen holde een kind door de hoge ruimte, een jongetje van een jaar of vijf dat zonder begeleiding de kerk leek te bezoeken en er vol overgave in speelde. Het jongetje klauterde op een bank waarop de naam van een sponsor prijkte, een loodgietersbedrijf uit Viviers, sprong er met een gilletje van af, landde op de marmeren kerkvloer, en kroop op handen en voeten de ruimte door, een en al jongensachtig plezier.

Buiten in de volle zon stond een vrouw te roken die de moeder van het jongetje zou kunnen zijn.

Ze had haar dat voorbij haar schouders reikte en zwart was geweest, maar waar tegenwoordig grijs doorheen geweven zat.

Het was na enen en het was nog heter geworden. Nicole en Frank wilden overleggen over wat ze zouden doen; rondwandelen en het oude centrum bekijken en dan terug naar huis of hier lunchen, of direct terugrijden. Het Atelier was tot drie uur dicht; dat kwam dan een andere keer wel.

Toen hoorden ze een doffe klap achter hen in de kathedraal. Het bleef een seconde of wat stil, alsof ze zich samen met de vrouw op het kerkplein in een tussenstadium bevonden en een gebeurtenis meerdere kanten op kon en de dingen nog onbeslist waren, en heel.

Vrijwel ogenblikkelijk hierna begon het huilen, met hoge uithalen. Het viel niet moeilijk te raden om wie het ging. Toch wachtte de vrouw bij de ingang met ingrijpen. Ze ving de zon op haar haar, waardoor het zwart verbleekte en het grijs benadrukt werd.

Ze nam een nieuwe trek van haar sigaret, inhaleerde diep en blies een lange sliert rook voor zich uit die niet meteen verwaaide omdat er geen wind was, geen zuchtje. De sigarettenrook waaierde fraai uit en verloor zich krullerig boven het kerkplein.

Binnen nam het huilen in hevigheid toe. Wie ging naar het kind kijken? De vrouw smeet haar sigaret weg en keek om zich heen. Een stel duiven scharrelde over het kerkplein; een ervan ging naar de peuk.

'Is dat uw kind?' vroeg Nicole.

'Ah, mais oui,' zei ze en nu kon ze niet meer terug en moest ze de kathedraal wel in om haar zoontje op te halen en het daglicht in te dragen om hem te kalmeren en te zien wat eraan scheelde.

'*Très bien,*' riep Nicole haar na. 'Heel verstandig,' zei

ze tegen Frank, 'anders had ik het gedaan.'

'Goed, als dat geregeld is...' zei Frank. 'Wat gaan we doen?'

'Wacht,' zei Nicole, 'ik wil kijken hoe dit afloopt. Want ik krijg de indruk dat ze dat kind aan zijn lot wilde overlaten.'

Kort daarop kwam de moeder naar buiten. Ze droeg haar zoontje op haar arm en het gehuil was in volume afgenomen. Niettemin zouden een paar troostende woorden goed van pas komen.

Dat laatste viel niet mee voor de moeder: ze snakte naar een sigaret.

Ze bekeek haar kind alsof ze het liever ter plekke wenste achter te laten en de twee toeristen haar hinderlijk in de weg zaten. Nicole keek de moeder van het jongetje aan met een blik die niet voor tweeërlei uitleg vatbaar was: moeders onder elkaar. Daar hoefde je, net als bij de man en diens scheermes, het Frans niet voor machtig te zijn.

Er zat bloed op en om de mond van het joch en het druppelde van zijn kin op de hobbelige keien. Zijn mond ging open voor een nieuwe uithaal, ondanks een troostend gebaar van Nicole, die hem over zijn kroezige haar streek. Het jongetje miste een paar tanden.

Nicole haalde wat tissues uit haar tas en wist het bloeden te stelpen.

De moeder van het kind keek nog steeds alsof het incident haar maar zijdelings aanging. Het was nu of nooit als ze van het kind af wilde, leek ze te overwegen. Maar ze keek Nicole aan, zag dat het haar menens was en hield haar zoontje op haar arm en zette hem niet op de grond om te proberen er onopvallend vandoor te gaan.

In plaats daarvan frommelde ze een sigaret en een wegwerpaansteker tevoorschijn en blies de rook naar het keienplein.

'Het zal mij benieuwen,' zei Nicole tegen Frank, 'hoe lang dat goed gaat. Maar meer kunnen we niet doen voor het joch. Laten we gaan.'

Frank en Nicole wandelden als enigen door het middeleeuwse centrum en kwamen bij de oude romaanse kerk aan de noordkant van Viviers.

Deze kerk was dicht.

'Maar goed ook,' zei Nicole. 'Ik vind het welletjes, Frank.'

Ze liepen een lange trap af, de Escalier des Cèdres, en hoorden de krekels, die luidkeels lieten weten dat het voor hen, anders dan voor de inwoners van Viviers, geen middagpauze was.

Ten slotte liepen ze door de hoofdstraat terug naar het parkeerterrein aan de zuidkant van het stadje.

'Je hebt toch geen brood gehaald, hè?' zei Nicole vlak voor ze bij de auto waren.

'Nee,' antwoordde Frank. 'Nee, dat klopt. Dat heb je goed geraden.'

'Ik zeg het omdat ik dacht dat je toch een baguette zou halen, maar dat je die misschien voor zolang in de auto had gelegd. Dan kun je het beter nu zeggen.'

'Nee,' zei Frank, 'ik heb op jouw uitdrukkelijke verzoek geen brood gekocht. Ik zou niet durven.'

Het was voor het eerst in lange tijd dat Frank met enige warmte aan Juliette terugdacht en naar sommige momenten uit zijn periode met haar verlangde. Had hij iets door zijn vingers laten glippen wat achteraf de moeite van het behouden waard was geweest?

—

Ze waren Viviers nog maar net uit, toen Nicole op de kaart keek. 'Frank, we zijn vlak bij Vogüé, zullen we daarheen rijden?'

Ze bewaarden goede herinneringen aan het plaatsje. Anderhalf jaar geleden waren ze er geweest omdat Renate en Kasper wilden kanoën, en dat kon in Vogüé, kano's huren aan een strandje bij de rivier.

Een kwartier later reden ze Vogüé in en parkeerden bij het strand. Niet alleen bestond het kanoverhuurbedrijf nog, ook restaurant L'Oasis hogerop tegen de rotsige oeverwand, waar ze hadden gegeten nadat Renate en Kasper hongerig van een dag kanoën waren teruggekeerd, was er nog.

Frank liep de buitentrap op en rammelde aan het hek dat toegang gaf tot het eetgedeelte, maar het hek zat op slot. Uit de keuken kwam een man tevoorschijn die zijn handen afdroogde aan een theedoek die aan zijn broekriem hing. Frank vroeg of ze er terecht konden om iets te eten.

'U bent met z'n tweeën? Het is een *jour de l'amour pour vous?*'

Dat kon Frank bevestigen. Een dag van liefde was het, voor Nicole en voor hem.

Ontroerend, vond de ober, maar de keuken ging pas om zeven uur open vanavond en helaas niet eerder.

'Laten we de boel niet overdrijven,' merkte Nicole nuchter op. 'Ik vind het leuk om het nog eens te hebben gezien, maar om anderhalf uur in dit gehucht te moeten rondhangen tot de keuken eens een keer opengaat voor een karbonade met frites, dat gaat me te ver. We halen wat spullen onderweg en ik kook thuis wat bij elkaar, dat doe ik dan liever.

Weet je,' vervolgde Nicole, 'op de terugweg komen we langs die winkel, van dat echtpaar, waar we toen bijna elke dag kwamen, die mini-supermarkt langs de doorgaande weg, waar jij boodschappen haalde en op het terras cola dronk of een ijsje at met Renate en Kasper, weet je nog? Dan halen we daar wat boodschappen. Dat is beter dan hier rond te dwalen.'

Frank wist wat Nicole bedoelde: de kleine vestiging van de Vival aan de doorgaande weg naar Montélimar. Toen ze op het bescheiden parkeerterrein stopten, zag hij dat er weinig was veranderd. Zelfs de vier blauwe plastic stoelen en de reclameparasol van Ola stonden er nog, alsof ze nooit waren binnengehaald, en opzij van het gebouw kon je nog altijd donkerrode gasflessen van Antagaz kopen.

Het echtpaar bestierde de winkel nog. Vooral de vrouw leek ouder geworden; een verouderingsproces dat bij de eigenaar van de zaak minder had toegeslagen.

'Hoe gaat 't met u?' reageerde François blij verrast. 'Goed u weer te zien. *Quelle surprise!* Hoe lang is het geleden dat u hier verbleef?' De man gaf Frank en Nicole over de toonbank heen een hand. 'En hoe is het met uw kinderen?'

Er waren geen andere klanten in de winkel.

'En,' vroeg Frank, 'hoe is 't hier?'

'*Superbe*,' antwoordde de eigenaar.

'*Et le magasin*,' informeerde Frank, 'hoe gaan de zaken?'

'Superbe.'

De baguettes stonden nog in het broodrek, ondanks het gevorderde uur, dus zo superbe leken de zaken niet te gaan: de winkel had eerder wind tegen dan mee. Een vermoeden dat werd bevestigd door de reactie van Georgette, de vrouw van François, die tussen de stellingen gehurkt zat om de onderste schappen bij te vullen met blikken bonen en haricots verts. Toen Frank haar vroeg hoe het ging, antwoordde ze zacht en een stuk minder opgewekt: '*Ça va*.'

'Ça va?' herhaalde Frank alsof hij het niet goed verstaan had.

'*Oui*, ça va,' zei ze, en ze lachte een kort vreugdeloos lachje. '*Et vous? Et les enfants?*'

Ze haalde de laatste pot groente uit de kartonnen doos, worteltjes, zette deze in het op een na onderste schap, vouwde de doos plat, kwam overeind, groette hen en liep de donkerte achter de toonbank tegemoet waar zich de privévertrekken bevonden. Georgette zou zich niet meer laten zien.

Nicole en Frank kozen wat ze nodig hadden voor het avondeten en het ontbijt morgenochtend, namen een extra fles wijn mee en liepen naar de toonbank.

François haalde de boodschappen een voor een uit het winkelmandje en sloeg de bedragen op de kassa aan. Hij tilde een zakje tomaten uit de mand, woog het op de weegschaal en keek naar de groente- en fruitopstelling in de zaak om te zien wat de tomaten kostten vandaag, en toetste het bedrag in.

'Mais non!' zei Nicole. 'Dat bedrag, dat zijn niet de tomaten... Wat u op de kassa aanslaat, dat is de prijs van de abrikozen.'

François putte zich uit in excuses en bood aan om de boodschappen naar de auto te dragen. Maar dat hoefde niet van Nicole; die zes meter naar de auto redden ze op eigen kracht, daar had ze hem niet voor nodig.

'Leuk,' zei Nicole toen ze in de auto zaten, 'zulk soort oude bekenden, Frank. Jij had het niet eens door, hè schat? Ik zie hem naar die peperdure abrikozen kijken en dat bedrag intoetsen, in plaats van de prijs van de tomaten die in de aanbieding waren. Alsof we gekke Gerritje zijn, twee Hollandse toeristen die je alles kunt wijsmaken. Wat denk je, hoe vaak zou hij jou belazerd hebben toen jij hier om de dag kwam? Want dit is niet van de laatste tijd, de boel tillen, dat deed-ie toen natuurlijk ook.

Een ding is duidelijk,' vervolgde Nicole, 'dit was de laatste keer dat we daar boodschappen hebben gedaan, afgesproken? Ik wens niet nog eens in de buurt van die oplichter verzeild te raken.'

Ze keek hem aan. 'Kijk eens wat vrolijker, Frank. Het is vakantie, waar maak je je druk om? We zijn hier voor ons plezier, weet je nog? Of was je dat ontschoten?'

Terwijl ze terugreden naar hun vakantiehuis piepte het elektronische alarmsysteem in de auto: de benzine was bijna op. Ze reden op de reservetank, de laatste vijf liter.

Een probleem was dat niet: langs de D86 bevond zich een winkelcentrum in vervallen staat, met een onbemand benzinestation; een minisupermarkt, Mr. Ed, die overmorgen de deuren sloot wegens een ingrijpende verbouwing; een kiosk en een restaurant-bar-pizzeria. Eromheen lagen wat bedrijven en loodsen verspreid. Het geheel maakte een rommelige indruk. Er was niemand te zien, op een paar truckers na die een snack haalden en hun cabine in klommen en vertrokken.

Frank tankte, boog zich door het open raam naar binnen en zei dat hij zin in koffie had.

Nicole was niet bijster enthousiast, maar ging schoorvoetend akkoord en ze liepen naar het restaurant, waar ze plaatsnamen op de veranda.

Ze bestelden bij een Franse ober die 'Prego' zei. Het begon mild te regenen, maar de tafels en stoelen werden door een plastic dak overkapt, zodat je droog bleef.

'Hoe is je wijn?' vroeg Frank.

'Te drinken.'

Het hield op met mild regenen. Frank keek naar het

verkeer op de D86 en naar een lange goederentrein die voorbijkwam; een sliert rammelende wagons.

'O!' riep Nicole uit. 'Kijk nou! Achter je, een rat!'

Frank draaide zich om. Opzij van het restaurant, waar het afval lag, scharrelde een rat tussen de dozen, vuilniszakken en kratten met lege flessen. 'Gezellig,' zei Frank monter. 'Zitten we hier tenminste niet alleen.'

Het was een flink uit de kluiten gewassen exemplaar, bijna zo fors als een volwassen kat. Haast had het beest niet, integendeel; de rat was kind aan huis, want toen Frank opstond en naar hem toe liep, keek het dier hem aan en ging rustig door met scharrelen. Frank was hier de toerist, niet de rat.

'Zullen we het beestje een naam geven?' stelde Frank voor. 'Wat dacht je van Mister Ed?'

'Jij hebt niet veel nodig, hè,' zei Nicole, 'om het naar je zin te hebben.' Ze schoof haar stoel naar achteren. 'Waarom noem je hem niet Frank? Dat lijkt me toepasselijker.'

Nicole stond op van tafel, en zei: 'Kun je afrekenen?'

28

Het was de derde keer deze week dat ze in Viviers kwamen en er een begrafenis plaatsvond in de sobere kerk niet ver van Café De L'Horloge 'Moet je zien,' zei Frank, 'het zal toch niet waar zijn?' Opnieuw werd een kist uit de achterkant van een Franse lijkwagen getild, een voor dit werk aangepaste Renault Espace, door zes mannen in overhemden met korte mouwen. Het was tweeëndertig graden; de colberts waren uitgedaan.

Tot Nicoles verbazing reed Frank zonder vaart te minderen door, parkeerde de auto een eind verderop op het nagenoeg lege parkeerterrein voor de middelbare school van Viviers, en ze deden hun boodschappen. Ze hoefden niet bij de bakker langs, waarschuwde Nicole, want ze hadden brood genoeg in huis.

Toen ze een uurtje later opnieuw langs de kerk liepen was de dienst al afgelopen; een vluggertje. De Espace was verdwenen, evenals de nabestaanden en de belangstellenden. In het kerkgebouw geurde de wierook zwaar na.

Het rolluik voor een van de ramen van Café De L'Horloge hing scheef. Er kwam een oude man naar buiten die op de been bleef met behulp van zijn wandelstok. De man wankelde toen hij zich omdraaide en de cafédeur achter zich wilde dichtdoen.

Dat sluiten lukte dan ook niet. De bejaarde man keek vergeefs om zich heen, want er diende zich niet ogenblikkelijk hulp aan.

Toen het uiteindelijk was gelukt om de cafédeur te sluiten, met een helpende hand van binnenuit, schuifelde de man een paar passen naar links, richting centre ville, maar bedacht zich toen – waar was zijn huis ook alweer? – draaide zich om en struikelde net niet de stoep af, recht in de voeten van het drukke verkeer.

De man zette de stok neer, beverig, zodat het een paar tellen leek alsof de wandelstok te veel gedronken had. Opnieuw twijfelde de man over de te volgen route en keek hulpeloos om zich heen.

'Als hij zo doorgaat,' zei Nicole, 'hebben ze hier woensdag of donderdag weer een begrafenis. Maar goed, met een beetje mazzel zitten wij dan aan zee, bij het Zwarte Pad.'

'Vind je het heel erg,' zei Frank, 'als ik niet op de goeie afloop wacht?'

De kerkklok vlak bij het café dreunde over de daken van Viviers. Het was twaalf uur; de winkels gingen dicht. Winkeldeuren werden op slot gedraaid en rolluiken gingen piepend neer.

'Waarom hielp je die man niet?' zou Nicole later zeggen. 'Zo'n moeite zou dat niet geweest zijn, toch?'

'Met die vraag,' antwoordde Frank, 'val ik jou toch ook niet lastig?'

Toen ze tegen enen thuiskwamen stond de beige bestelwagen gewoontegetrouw aan de overkant van het veld, maar Frank besteedde er geen aandacht aan: het was vreemder geweest als hij er niet had gestaan.

Evenmin keek hij ervan op toen de auto korte tijd later wegreed, ver voor de gebruikelijke vertrektijd rond vijf uur, halfzes, en hij niemand had zien instappen. Hij had wel wat anders aan zijn hoofd. Er moest een hoop gebeuren voor ze konden vertrekken, of voor Nicole kon vertrekken.

Hij kon Nicole niet helemaal ongelijk geven. Zo langzamerhand werd het tijd om op huis aan te gaan. Het was mooi geweest zo. Morgen keerden ze in alle vroegte terug naar Den Haag, en dat was misschien niet iets om naar uit te zien maar ook geen straf.

Dat mocht Frank misschien vinden, maar dan had hij buiten Nicole gerekend want ze had een verrassing voor hem in petto toen ze de loggia op liep. 'Ik heb gebeld, hoor.'

'O, en hoe gaat het met ze?'

'Nee, niet met de kinderen,' zei Nicole, 'met de verhuurder van dit vakantiehuis.'

'Hoe dat zo?'

'Om te vragen of we een dag later weg mogen, en dat mocht. Geen enkel probleem. Er komen geen huurders na ons, de vakantie zit erop, het huis staat de komende zes weken leeg, dus we hoeven zondag pas weg als we willen. Maandag mag ook.'

'Maar waarom wil je dat opeens?' vroeg Frank verbaasd. 'Ik begreep dat je eerder weg wilde omdat je het "hier wel gezien had" en we op die manier de files konden ontlopen.'

'Ik ben van gedachten veranderd. Nu kunnen we morgen van alles doen, naar Montélimar bijvoorbeeld, naar de zaterdagmarkt en daarna winkelen, want dat laatste is er bijna niet van gekomen. Bovendien ontlopen we toch de files door op zondag te vertrekken, dan zijn verreweg de meeste mensen naar huis en is het ook een stuk rustiger op de weg. Nou, wat vind je?' Nicole keek tevreden om zich heen, naar de bossen en de bergen en de kloof. 'We plakken er lekker een vakantiedag aan vast,' vervolgde Nicole zonder Franks antwoord af te wachten. 'De Sportlaan kan best nog een dagje zonder ons, wat jij?'

Later die avond, toen ze in bed lagen, kwam Frank terug op de bestelwagen. Dat hij er niet speciaal op had gelet, maar dat het hem desondanks was opgevallen dat de wagen vanmiddag eerder was vertrokken dan gewoonlijk.

'Heb je het daar nou nog over?' zei Nicole. 'Wat kan jou die bestelwagen schelen? Je bent hier op vakantie, eventjes nog, en waarom houdt dat bestelding je dan zo bezig? Jij maakt je drukker over die bestelwagen dan over je eigen kinderen, of over die van mij. Als je er geen zwaarwegende bezwaren tegen hebt, wil ik graag slapen.

Morgen hebben we een extra vakantiedag. Shoppen. De wintercollecties zijn binnen. Dus doe me een plezier en zet dat ding uit je hoofd. Hoe oud ben je helemaal, dat je je over zoiets onbenulligs druk maakt?'

Zaterdagochtend vroeg zat Frank op het terras met een kop koffie naar de bergen te kijken en naar de wijngaarden voor het huis; maar toch vooral naar de beboste hellingen opzij en aan de overkant. Terwijl hij op zijn gemak om zich heen keek in afwachting van de komst van Nicole om naar Montélimar te gaan, viel hem iets op wat hem alle voorgaande vakantiedagen was ontgaan.

Een oud huis schemerde tussen de bomen aan de overkant, een huis waar 's avonds nooit licht had gebrand, anders zou het hem zijn opgevallen. Het huis viel half uit elkaar, voor zover zich dat van deze afstand liet beoordelen. Een groot deel van het dak ontbrak, zag Frank, en forse stukken van de muren.

Waarom viel het huis hem vanochtend pas op?

Omdat het nu waaide, de bomen bewogen en de ruïne daardoor vanachter het groen tevoorschijn kroop en zichtbaar werd? Maar het had vaker gewaaid de voorbije dagen, en straffer, dus dat kon de oorzaak niet zijn.

Frank huiverde, hoewel het verre van koud was. Soms kwamen dingen bloot te liggen die beter toegedekt konden blijven, en hij stond op en wilde naar binnen lopen. Waar bleef Nicole?

Vlak voor hij de keuken binnen stapte, draaide hij zich om en keek naar de overkant. De bestelwagen stond er niet.

—

In Montélimar vond Frank een cd-winkel en hij kocht voor de vorm een paar cd's waarvan hij op voorhand wist dat hij ze nauwelijks zou beluisteren, liep via de rue Baudina naar de boulevard Aristide Briand en ging op een stadsbank zitten, in afwachting van Nicole. De terrassen zaten vol en de boulevard zelf werd het domein van de stadsduiven die hun middagmaal bij elkaar sprokkelden en daar aardig in slaagden; omdat de markt werd afgebroken, lag er genoeg op straat.

Frank haalde de cd's tevoorschijn, draaide ze een paar keer om en borg ze op. Waarom had Nicole pas om één uur willen afspreken? Sluitingstijd was sluitingstijd en normaal gesproken kon ze geen winkel meer in, zelfs als ze in een etalage iets zou zien wat ze per se wilde hebben. Als ze niet kon winkelen omdat alles dicht was, wat deed ze dán? Waarom had hij opeens niet mee gehoeven, terwijl ze bij voorgaande gelegenheden erop aandrong dat hij haar vergezelde, omdat Frank, naar haar zeggen, knopen doorhakte en Nicole zo aankopen deed die ze, was ze alleen op pad geweest, niet had aangedurfd.

Maar dat was vanmiddag opeens niet meer aan de orde.

Frank kon geen bevredigend antwoord bedenken en gaf het op, zo'n halszaak leek een sluitende verklaring niet.

Hij keek naar de lucht boven de daken van de stad en naar de wolken die overdreven, en een ogenblik waande hij zich terug in Den Haag en in Scheveningen.

Maar niet lang.

Het waren de takken van platanen die heen en weer wiegden en niet de takken van een Hollandse berk, wilg of iep, en dat bracht hem terug naar waar hij werkelijk was: diep in het hart van de Drôme, ver van Den Haag en van Scheveningen verwijderd. Het was kwart voor een: de middag strekte zich blanco voor hem uit en kon op talloze manieren worden ingevuld.

Frank stond op, verliet de boulevard en liep enkele straten door zonder helder doel voor ogen. In een zijstraat hing een oude man uit het raam van een woning op de begane grond, en vanuit een woning schuin aan de overkant kwam het hoofd van een overbuurman tevoorschijn; maar ze groetten elkaar niet. Ze keken naar het weinige bestemmingsverkeer dat voorbijkwam, en na verloop van tijd verdwenen ze naar binnen en sloten de ramen.

Even voor enen wandelde Frank de place Marché op en nam plaats op het terras van Café La Taverne aan een tafel onder een wijde donkergroene parasol.

Korte tijd later kwam Nicole vanuit een winkelstraat aangelopen. Ze maakte een opgetogen indruk. Ze was geslaagd, wonderwel zelfs, al had ze zichzelf niet zoveel cadeau gedaan, want ze droeg maar twee plastic tassen en een daarvan was half gevuld geweest met wat ze vanochtend samen op de markt hadden gehaald: noten, nougat en olijven.

Wat ze had gekocht? O, dat zou ze thuis laten zien, zo uitzonderlijk was het niet dat het niet tot na de lunch kon wachten. 'Kom,' zei ze, 'laten we wat bestellen. Ik rammel.'

Ze wilden net aan het hoofdgerecht beginnen, een vis-schotel vanwege Nicoles lijn, toen een jonge vrouw van de overkant van het plein naderde.

Florence.

'Hé, wat leuk!' riep Nicole uit. 'Kijk nou eens, wie hebben we daar?' Ze legde haar mes en vork neer. 'Als dat de vrouw van de bakker uit Viviers niet is, je nieuwe vriendin.' Nicole tikte Franks hand aan. 'Toch maar goed dat ik uit het raam keek, die keer dat ik voor de deur geparkeerd stond en zij jou uitliet, anders had ik haar nooit herkend.'

Frank wilde een tegenwerping maken, maar Nicole was hem voor. 'Hadden jullie hier ergens afgesproken, Frank, maar is ze veel te laat komen opdagen en zit ik ernstig in de weg? Dat hoop ik niet. Zal ik me discreet terugtrekken, de stad in, zodat jullie een ogenblikje met elkaar hebben? Ach, wat vind ik dat nou leuk. Moet je haar niet roepen, Frank, want straks loopt ze je nog voorbij op die hoge naaldhakken, en het zou eeuwig zonde zijn als jullie elkaar misliepen. Dat wil ik niet op mijn geweten hebben, zo kort voordat we terugkeren naar Den Haag en jullie elkaar een tijd moeten missen. Of komt ze naar Scheveningen, Frank, heb je dat al geregeld, voor een paar weken of voor onbepaalde tijd, een hotelletje aan zee, en kan ik haar straks met een beetje pech in Den Haag tegen het lijf lopen?'

Hoe zou hij Nicole kunnen overtuigen, vroeg Frank zich af, van de toevalligheid van deze ontmoeting-die-geen-ontmoeting-was, en hoeveel tijd zou dat vergen?

'Ach, die arme Laurent, dat die moet achterblijven en de bakkerij in zijn eentje moet zien te runnen. Vertel, heb je hem gezien, Laurent, ben je wel eens in het woon-gedeelte geweest achter de bakkerij en is het een beetje een aantrekkelijke jonge man? Denk je dat ik met hem uit de voeten zou kunnen, een poosje?'

Frank zei niets en bleef zitten waar hij zat, mes en vork in de hand en zijn bord met een gerookte forel voor zich op tafel, en keek naar het plein en naar Florence. Het plein leek leeg nu Florence het bijna overgestoken had en op een winkelstraat afliep.

'Schat,' zei Nicole, 'gaan we het nog beleven? Ik zou maar opstaan als ik jou was, en haar roepen en aanspre-ken of zwaaien voordat ze voorbijgelopen is en onverrich-ter zake terug kan naar Viviers, achter de toonbank, dat zou je toch niet willen, is het wel?'

Frank zei nog altijd niets en kwam niet uit zijn stoel. Hij keek naar de forel op zijn bord, hanteerde mes en vork en sneed de vis secuur open, hoewel de eetlust hem was vergaan.

'Je moet iets doen hoor, anders is je kans voorbij,' zei Nicole, en ze legde een hand op zijn arm. 'Ben je je spraak verloren, of is er iets met je tong, en moet ik haar voor je roepen? Je zegt het maar. Dat doe ik met plezier voor je, Frank, dat weet je. Moet ik haar roepen?'

29

Zondagochtend vroeg, toen Frank het erf op liep om de laatste spullen achter in de auto te leggen voordat hij Nicole naar het station van Montélimar zou brengen, vanwaar zij de TGV naar Lyon en Parijs nam en in de loop van de avond op station Hollands Spoor in Den Haag zou aankomen, stond de bestelwagen als vanouds aan de overkant van de kloof.

Korte tijd later liep Frank naar buiten met de tas folders en brochures van bezienswaardigheden in de omgeving en wat losse spullen die hij vast in de auto wilde leggen, zodat niet alles wat het inpakken betreft op de dag van zijn vertrek aankwam. Ook wikkelde hij wat etenswaren in aluminiumfolie, voor Nicole voor onderweg, en legde het op het dashboard; hoewel dat voor haar niet hoefde, omdat ze op een station of in een restauratierijtuig genoeg te eten en te drinken kon kopen. Tot zijn verbazing zag Frank de bestelwagen wegrijden en verdwijnen achter de bomenrij, zonder haast, bijna stapvoets; alsof de bestuur-

der ondanks zijn wegrijden Franks auto onder geen beding wilde kwijtraken.

Nicole sloeg het portier dicht: Frank kon haar naar het
station brengen. Of wacht, ze was iets vergeten; kon hij
heel even wachten, ze was zo terug.

De bestelwagen was langzaam doorgereden en Frank
verloor hem uit het oog.

Op de een of andere manier zou de rit naar Montélimar
een opluchting betekenen voor Frank – deze episode zat
er bijna op: de bestelwagen en de 'vochtplekken' op het
plafond waren voltooid verleden tijd, want naar dit vakantiehuis zouden ze niet terugkeren, daar waren Nicole en
hij het de vorige avond over eens geworden. Het was plezierig geweest hier, bijzonder aangenaam zelfs, maar met
de schorpioenen en de lekkages smaakte het verblijf niet
naar meer. Nee, ze waren klaar hier, afgezien dan van de
halve week die Frank nodig meende te hebben voor het
werken aan een artikel voor een medisch tijdschrift, misschien zelfs iets langer. Het was aan de late kant dat hij
ermee op de proppen kwam, vond Nicole. Erg laat zelfs.
Maar goed, als Frank per se een paar dagen aan het verblijf in Saint-Thomé wilde vastknopen, geen probleem.
Wat moest, dat moest. Zou hijzelf het ziekenhuis bellen,
Hilde, om haar van zijn besluit op de hoogte te brengen,
en dat er afspraken dienden te worden verzet? O, dat had
hij al gedaan?

'Goed,' zei Nicole, 'dat was 'm dan.'

Ze deed het autoraam aan haar kant open. 'Op naar het

station, schat. Nog even en je bent van me af, voor zolang het duurt. Want dat is toch wat je wilt?'

Frank laveerde de auto behoedzaam de oprijlaan af, die het laatste stuk betrekkelijk steil omhoogliep en was bezaaid met keien en scherpe stenen waar je de banden aan kon openhalen.

'Vertel, lieverd,' vervolgde Nicole, 'als jij me straks hebt weggebracht en je rijdt terug en je komt door Viviers, de hoofdstraat, weet je dan heel zeker dat je geen brood zal halen bij Florence? Of ga je haar opzoeken als ik in de buurt van Parijs ben en de kust veilig is voor jullie, is dat het idee?'

Het was een vraag die Frank niet wenste te beantwoorden anders dan met een geërgerd schouderophalen.

'Weet je, lieverd,' zei Nicole, 'ik ben zo benieuwd naar dat artikel van je waar je over een paar dagen mee thuiskomt, afgezien van de vaktermen waardoor ik er waarschijnlijk niet veel van zal begrijpen. Laat je het me lezen? Het zal er toch wel van komen, van het werken eraan? Ik bedoel, er is niets wat jou na mijn vertrek belemmert in het afmaken ervan. Ik zit je niet in de weg, dat kun je me moeilijk verwijten. De komende dagen loop ík je niet hinderlijk voor de voeten.'

'Nic,' zei Frank, 'doe me een plezier en hou erover op, wil je?'

Nadat ze een paar kilometer richting Saint-Thomé hadden gereden, legde Frank de sleutel van het vakantiehuis bij de beheerder in het daarvoor bestemde bakje aan de gevel. Hij zou die bij terugkeer van het station weer op-pikken, maar het stelde de beheerder in staat om naar de ernst van de lekkage van het dak te kijken en wat daar op korte termijn aan kon worden verholpen. Nicole had eer-der deze week de eigenaar er opnieuw aan herinnerd dat er niets aan de lekkages was gedaan, en dat de weersvoor-spellingen van dien aard waren dat het dak en daarmee de onder het dak gelegen slaapkamers meer te verwerken zouden krijgen dan de bovenetage aankon.

'Viel je dat niet op,' vroeg Frank eenmaal voorbij Saint-Alban, 'dat die bestelwagen uitgerekend vanochtend niet bleef staan, maar wegreed?'

'Ben je daar nou nog mee bezig?' zei Nicole. 'Nee, dat klopt, Frank, dat heb je scherp in de gaten. Die rijdt voor ons uit, nou goed? Ik zou zeggen, zorg dat je 'm vooral niet uit het oog verliest, dat wagentje, anders heb je straks de poppen aan het dansen.'

Dat had Nicole beter niet kunnen zeggen, overwoog Frank, want dat hadden de poppen veel te lang niet ge-daan, dansen of aan een zijden draadje bungelen. Dat had ze nou net niet moeten zeggen, Nicole. Zo'n uitspraak was de goden verzoeken.

Ze passeerden de bakkerij in Viviers maar Nicole maak-te geen opmerking over of toespeling op de vrouw van Laurent; dat bespaarde ze hun beiden.

Maar het kwaad was al geschied. O Nicole, dacht Frank, had ze dat maar niet gezegd van die poppen.

Frank minderde onopvallend vaart en keek opzij, naar

Nicole, die strak voor zich uit naar de weg staarde. Deed ze het er soms om? Wist ze wat ze zich op de hals kon halen?

Ze naderden Montélimar, en Frank stopte voor het stationsgebouw. Het afscheid nemen zat eraan te komen, en het Nicole uitzwaaien op een winderig en leger wordend perron. Daarna zou Frank op zichzelf zijn aangewezen. De zon scheen, maar de schaduwen rukten op.

Toen Frank het station verliet en naar zijn auto liep, rees de vraag bij hem of er bij Nicole niet meer speelde dan hij tot nog toe had vermoed. Dat het voorval met Florence niets te betekenen had, daarvan had hij Nicole afdoende weten te overtuigen. Maar opeens kwamen de twijfels. Nicole was opvallend soepel akkoord gegaan met zijn laat aangekondigde verlengde verblijf in Saint-Thomé. Kwam het Nicole misschien niet ongunstig uit om alleen terug te komen in Den Haag?

Zag hij iets over het hoofd, een detail, iets ogenschijnlijk onbeduidends dat aan zijn aandacht was ontsnapt?

30

Eindelijk thuis, verzuchtte Nicole toen de taxi zaterdagavond de Sportlaan op draaide. De bomen langs de laan
stonden in volle bloei en de voortuin van het huis zag
er ondanks haar wekenlange afwezigheid goed onderhouden uit. Fiona, hun buurvrouw, had met hart en ziel
voor de bloemen en planten gezorgd; dat mocht ze vaker
doen.

Nicole stapte over de stapel kranten en post heen naar
binnen: die aanwas ruimde Frank gewoonlijk op, maar
deze taak viel nu haar ten deel. Dat opruimen, besloot ze,
kwam morgen wel. Ze belde kort met Frank om te zeggen
dat ze veilig was aangekomen, en toen iets uitvoeriger met
Renate. Kasper kreeg ze niet te pakken. Daarna wilde ze
naar bed, moe van de reis.

Bovengekomen zette Nicole het slaapkamerraam open,
want wat frisse lucht na al die weken kon geen kwaad in
huis.

236

De volgende ochtend laat ging de voordeurbel.

Nicole was nog niet op, en pas nadat er opnieuw werd aangebeld, twee keer kort na elkaar en driftiger ditmaal, schoot ze haar kamerjas aan en ging naar beneden, deed de tussendeur naar de hal open en stapte over de lading post en kranten heen om door het zijraam te kunnen zien wie er aanbelde, en of ze wel of niet zou opendoen.

Ze hield de vitrage opzij.

Degene die had aangebeld had zijn poging opgegeven en liep over het tuinpad terug naar de straat, zodat Nicole niet kon uitmaken om wie het ging: ze herkende hem niet. Het was een man, geen vrouw, dat zag ze wel. Hij sloeg links af en was op slag verdwenen achter de hoge heg die de voortuin van de linkerburen begrensde. Wel werd Nicole een windvlaag gewaar, die via de brievenbus en onder de deur door naar binnen reikte, de hal in, en tot bij haar kwam.

Boven keek ze uit het raam van Franks werkkamer, maar degene die had aangebeld zag ze niet, ook niet verderop of aan de overkant. Misschien zat hij al in zijn auto, veronderstelde Nicole.

Rechts van het huis aan de Sportlaan liep een man in werkplunje. Hij had een spijkerbroek met verfvlekken aan en hield een plastic tas en een pakje sigaretten in zijn hand, zoals Nicole zo veel Oost-Europeanen in de buurt zag: ook op zondag werd gewerkt. Een paar huizen verderop keek hij om zich heen en verdween schielijk een voortuin in: pottenkijkers kon hij niet gebruiken.

De rest van Nicoles dag ging op aan van alles en nog wat en aan diverse plichtplegingen, en ze kreeg in de loop van de middag zowaar Kasper aan de lijn; en toen ze 's avonds kort met Frank sprak, vergat ze te vertellen dat er 's ochtends iemand aan de deur was geweest die onverrichter zake was weggegaan.

31

Maandagmiddag.

Het speelkwartier was voorbij.

Frank liep de loggia op en leunde over de stenen wering. De dieren kropen weg in hun gaten in de grond, niet gehinderd door de rotsachtige hardheid van de bodem; en de dieren die van nature bovengronds bleven, zochten elkaar op en kropen dichter naar elkaar toe.

De bestelwagen stond er niet.

Hoe zou het met het meer zijn vandaag, vroeg Frank zich af, waar hij met Nicole had gezwommen?

Het water hield zich van de domme, had Frank gistermiddag tijdens zijn wandeling gemerkt. Aan het meer viel niets af te lezen; alsof het binnen zijn geledingen niet zou stikken van de vis die je met je blote handen kon pakken en fileren.

We spreken elkaar nog, het meer en ik, had Frank gezegd zonder een woord hardop uit te spreken, wij komen elkaar nog tegen. Daarop was hij via Viviers teruggereden naar Saint-Thomé.

Ook de sterren die 's avonds onbekommerd aangloeiden, doken weg toen ze Frank gewaarwerden.

Doe geen moeite, wilde Frank hun toeroepen, want je kunt je verstoppen in een verre spelonk en hopen dat je ongevonden blijft, maar er komt een dag dat ik je uit je schuilplaats tevoorschijn sleur, dus vanwaar die angst? Blijf hangen waar je hangt, want jullie hoeven je geen zorgen te maken. Een ander is straks aan de beurt.

Dat gezegd hebbend, riep Frank zichzelf tot de orde. Daar had hij vaker last van de laatste tijd, thuis in Den Haag, had hij van Nicole begrepen, dat hij hardop in zichzelf praatte, iets wat hem ook wel eens ten tijde van Juliette was overkomen. Zij, of een van de kinderen, had dan vanuit de kamer gevraagd wat er was, want er viel geen touw vast te knopen aan wat Frank zei, wartaal.

In het ziekenhuis was hem dat bij zijn weten niet overkomen. Hij had er althans niemand over gehoord, ook Hilde niet. Maar dat zei niet alles; er was meer waar hij zijn secretaresse nooit over hoorde of waar zijn collega's liever over zwegen.

Frank liep naar de tv en zette het toestel aan.

De weersvoorspelling was gunstig voor morgen. Dat wil zeggen, voor het doel dat Frank voor ogen stond. Bewolkt, met enkele opklaringen.

Dinsdag dan. Dinsdag moest het gebeuren.

—

'Wat zit erin?' vroeg Sylvia, een boezemvriendin van Nicole, die bij afwezigheid van Frank uit Deventer was overgekomen en een nacht aan de Sportlaan logeerde. Ze wees naar de vier dozen op de eettafel. Die waren van Frank, had Nicole verteld, en waren door haar uit zijn werkkamer tevoorschijn gehaald.

'Dat wil jij niet weten,' zei Nicole.

'Hoe kun je zoiets zeggen,' vroeg Sylvia, 'hoe weet je dat nou?'

'Jij wil niet weten wat erin zit, Syl. Dat weet ik gewoon, geloof me maar.'

'Mag ik er een openmaken?'

'Je doet maar wat je niet laten kan, Syl, maar ik raad het je niet aan.'

Sylvia deed een deksel van een van de dozen open en vouwde enkele vloeipapiertjes open om te zien wat erin verpakt zat.

'Hmm, het zijn kleine botjes,' zei Sylvia, 'vogelbotjes of zo.' Ze maakte een tweede doos open, een die meer naar achter op de tafel stond. 'En dit,' zei ze verbaasd, 'zijn oude poppen en poppenkleertjes. Wat moest hij daar in godsnaam mee?'

'Goeie vraag. Ik kwam zaterdagavond terug uit Frankrijk en ik denk: wat ruikt het hier muf en benauwd. Het leek de boerderij wel waar we zaten, zo bedompt. Ik heb alles opengegooid zondagmiddag, en die lucht kwam deels uit Franks werkkamer. Ik had er al eens wat van gezegd, toen de werkster daar wilde schoonmaken, dat hij er echt iets aan moest doen, maar dan moet je net Frank hebben; als het van hem afhangt, kun je wachten tot je een ons weegt. En opeens had ik er genoeg van. Ik ging die kamer door, kwam ik allerlei dozen tegen. Eerst wilde ik het nog op zolder of in de kelder zetten, en dat heb ik ook gedaan, die dozen in de kelder zetten, zodat Frank kon uitzoeken wat hij eventueel zou willen behouden, maar vanochtend, voordat je kwam, dacht ik: weg ermee.

Syl,' vervolgde Nicole, 'ik wil zo snel mogelijk van die troep af, vandaar dat het hier beneden staat. Niet dat die muffe lucht door die dozen komt hoor, dat niet, maar ik heb geen zin om dat in huis te hebben rondslingeren. En aan Frank hoef ik het niet te vragen, want die kan niets weggooien. Je kunt het hem honderd keer vragen en hij heeft ook al honderd keer beloofd zijn werkkamer te zullen uitmesten, maar het is verspilde moeite. Als je het aan Frank overlaat, verandert er nooit wat.'

'Ik kan me voorstellen dat je ervan af wil,' zei Sylvia. 'Ik zou zulke spullen ook niet om me heen willen hebben.' Ze legde het deksel op de doos. 'Als ik kan helpen, zeg je 't maar.'

'Syl, ik had er opeens zo schoon genoeg van. Als het aan Frank lag, zou hij het liefst in een grot willen wonen. Nog even, en van mij mag hij.'

Wat Nicole met dat laatste bedoelde, ontging Sylvia; maar ze vroeg er niet naar want ze kende Nicole en wist dat ze er zelf op zou terugkomen, en dat was dan vroeg genoeg.

'Ben je niet bang dat Frank woedend wordt, als hij

merkt dat je zonder iets te zeggen spullen van hem hebt weggegooid?'

'Nee,' zei Nicole. 'En trouwens, wat dan nog? Dan wordt hij maar woedend, dat overleven we wel.'

Een uurtje later tilden ze de dozen achter in Nicoles auto, reden naar de Gemeentereiniging aan de Binckhorstlaan en gaven het af. Vervolgens reden ze naar het centrum.

'Wat wil je drinken, Syl?' vroeg Nicole. 'Ik trakteer, want ik heb iets te vieren.'

'Ja, van die troep ben je af. Dat hij zoiets bewaarde, Frank.'

'Nee, ik bedoel iets anders. Ik heb iets anders te vieren.'

'O?' zei Sylvia verbaasd. 'Nog meer goed nieuws?'

'Uitstekend nieuws,' zei Nicole. 'Er gaat meer veranderen, ik vertel het je zo. Eerst die auto zien kwijt te raken en ergens een plek vinden om te zitten.'

Maar zo veel geduld kon Sylvia niet opbrengen: 'Ach kom, Nic, vertel'; en Nicole op haar beurt popelde om Sylvia het heuglijke nieuws te melden. 'Hij heet Marcel. We kennen elkaar al maanden, het is niet iets van de ene op de andere dag. Het enige punt is, ik moet het Frank nog vertellen, dat het over is tussen ons. Misschien doe ik dat later deze week, als hij terug is uit Frankrijk.'

'Nic, dit is het beste nieuws dat ik in tijden heb gehoord.'

Nicole lachte want ze kon haar hartsvriendin op dit punt niet van enige terughoudendheid betichten. Dat ze

Frank niet erg mocht en zelfs wantrouwde, daar had Sylvia nooit een geheim van gemaakt.

'Ik heb me vaak afgevraagd,' zei Sylvia, 'hoe houdt ze het vol met die man? Ja, afgezien van zijn inkomen dan...' Ze keek om zich heen alsof ze aan de Sportlaan was, en niet bij Nicole in de auto zat. 'En dat riante optrekje van jullie... Daar zou ik zelf ook niet ongevoelig voor zijn geweest.'

Nicole reed de parkeergarage aan de Torenstraat in, en door naar een hoger gelegen verdieping, zodat ze over de daken van de stad konden uitkijken.

Maar lang bleven ze niet staan.

'Kom,' zei Sylvia ongeduldig, 'ga je mee? Dat uitzicht kan me nu even gestolen worden.'

Het werd tijd om het glas te heffen en ze namen de lift naar beneden.

Binnenkort, vertelde Nicole, als ze Frank op de hoogte had gebracht en de ergste kruitdamp was opgetrokken, zou ze met Marcel tien dagen op vakantie gaan, naar Costa Rica. Of naar de Dominicaanse Republiek, dat hadden ze nog niet besloten, daar was Marcel nogal weg van, dat hoorde ze nog.

Ja, zei Nicole in antwoord op Sylvia's vraag, Renate en Kasper hadden Marcel ontmoet; en nee, dat was geen daverend succes gebleken, de kennismaking; de kinderen waren allebei niet erg van Marcel gecharmeerd. Maar dat was dan pech.

Zij moest straks met Marcel leven, en niet Renate en Kasper. Sorry hoor.

32

Het kostte Frank bijna een volle dag stug doorwerken om alles op te ruimen.

Wat hij niet in vuilniszakken kwijt kon, liet hij achter in de zachte oevergrond van het riviertje in het dal, een eind stroomafwaarts, waar het struikgewas hoog en bijna ondoordringbaar was en waar geen mens kwam, ook geen spelende kinderen of een wildkampeerder. De vuilniszakken zouden tot morgen moeten wachten, en hij zette ze zolang in de voorste kelder van het bijgebouw.

Frank wist waar hij morgenvroeg moest zijn, en waar niet. Tijdens een van de eerste dagen van hun verblijf hadden Nicole en hij langs de Rhône gelopen, en op goed geluk de loop van een vertakking van de rivier gevolgd.

Verderop langs de oever lag een rij bootjes. Ze schommelden licht heen en weer als een golf hun kant op kwam; maar dat gebeurde sporadisch vanwege de lage waterstand. Frank had meerdere kleine zandbanken geteld, zo droog was het en zo veel water was er verdampt. Van vissers, normaal gesproken voor dag en dauw aanwezig, geen spoor: van die kant viel geen belangstelling te verwachten.

Nicole had het een prachtige plek gevonden en wilde uitrusten van de lange wandeling en zonnen. Ja, het wás ook een uitgelezen plek, had Frank volmondig beaamd, en ze hadden hun tassen neergezet en elkaar gevonden tussen het lange gras en het oeverriet.

Maar hoe rustig en afgelegen ook, toch was het een minder geschikte plek voor zijn specifieke doel, vond Frank. Hij had iets anders op het oog.

Donderdagochtend liep Frank in alle vroegte, het begon aarzelend licht te worden, naar zijn auto op het erf en reed naar het natuurmeer ten noordoosten van Viviers, waar hij met Nicole een keer had gezwommen ter afwisseling van het baantjes trekken in het zwembad bij hun huurhuis.

Eind vorige week, op een ochtend tijdens een van zijn omzwervingen door de streek die hem in korte tijd dierbaar was geworden, was hij er opnieuw naartoe gereden toen Nicole liever wilde blijven luieren in de tuin. Dat betaalde zich nu uit: Frank kende het meer, mede door een derde bezoekje zondagmiddag, goed en kon het bijna uittekenen; de directe omgeving kende nauwelijks nog geheimen voor hem.

Wel merkte Frank tijdens het rijden dat hij vermoeid was geraakt. Een nachtje doorhalen of slecht slapen viel hem zwaarder dan enkele jaren geleden. Hij werd ouder en zijn werktempo lag lager dan vroeger, het was niet anders. In Nederland had hij er nooit veel last van gehad; maar dat werk speelde zich overdag af, een spoedgeval uitgezonderd. Moest hij niet dringend iets aan zijn conditie doen? Was een personal coach iets voor hem? Daar hoorde hij kennissen en bekenden in zijn omgeving vaak over. Voor sommigen in het ziekenhuis was het zelfs het gesprek van de dag, de relatie met hun personal coach en de bijzondere band die ze in korte tijd hadden opgebouwd en die ze niet graag verbroken wilden zien.

Het parkeerterrein bij het in onbruik geraakte recreatiegebied was verlaten, op een auto met Frans kenteken na, die in een verre hoek stond geparkeerd. Die had er de eerste keer ook gestaan, en op eigen kracht wegkomen zag Frank hem niet doen. Er ontbraken stukken van de carrosserie: het ging om een auto die hier was gedumpt, en geen mens bekommerde zich om het wrak.

Frank reed door tot vlak voor het aangelegde zandstrand, of wat daarvan over was, stopte onder de bomen, stapte uit, niemand te zien, en deed de kofferbak open.

—

Toen Frank klaar was, liep hij terug naar het zandstrand en keek om zich heen of er iets aan het landschap was veranderd.

Niets en niemand te bekennen, afgezien van een paar watervogels dan en een briesje dat verkoeling bracht. Het was een plek, meende Frank, die, eerlijk is eerlijk, wel wat meer bezoekers verdiende.

Hij liep naar de landtong in het meer, alsof hij hier voor het eerst kwam.

In eerste instantie vielen ze Frank niet eens op, de vier vuilniszakken met het logo van een van de supermarkten van Montélimar. Het riet was dik en hecht en het paadje ernaartoe, zo er van een 'paadje' al sprake kon zijn, was lastig begaanbaar. Je moest het weten, wilde je de bergplaats ontdekken. Opmerkelijk hoe snel iets zonder een spoor na te laten uit het leven verdwenen kon zijn.

Een van de vuilniszakken, zag Frank dichterbij gekomen, kierde open, misschien door het gesleep ermee. Hij bukte zich om deze dicht te doen. Wat hij zag, wekte de indruk dat een of ander moerasdier had ontbeten en Frank op de slordige resten was gestuit. Welk beest zou zoiets doen? Welk dier deed zoiets? Maar daar wenste Frank niet lang bij stil te staan. Daar waren anderen voor, die dat tot hun professie rekenden, zaken oprakelen en boven water zien te krijgen. Bovendien kon hij het stilleven met droge ogen aanzien, gewend als hij was aan taferelen waar mensen buiten zijn beroepsgroep van gruwden.

Frank sloot het ontstane gat met een tak alsnog af, anders werd het wel heel makkelijk voor de vliegen om erbij te kunnen en dat gelukje gunde hij hun niet, ze moesten er wat voor doen en er iets voor overhebben, en kwam uit zijn gebukte houding overeind. Het meer zette zijn zonnigste gezicht op: aan diens lijf geen polonaise. Het kon dagen duren, vermoedde Frank, en misschien zelfs weken, voordat iemand hier zou komen, naar deze zo goed als vergeten plek.

Hij keek naar het hoge riet dat bedachtzaam wuifde en naar het kroos dicht bij de waterkant, en toen naar de vier zakken of wat er tussen de begroeiing nog van zichtbaar was. Iets wat hij onderhand vaker had gezien, niets om je zorgen over te maken. Tot hij besefte dat juist de bijna vertrouwde aanblik van de vuilniszakken een spoor kon opleveren, hoe minuscuul ook. Wat als een wakkere geest bij de Franse recherche de vondst van de zakken in verband bracht met eerdere vondsten in een natuurgebied, bij zomerse meertjes, met toeristen in de omgeving, en de namen opvroeg van vakantiegangers bij hotels, campings en bij de verhuurders van vakantiewoningen? Het leek ondenkbaar, maar helemaal uit te sluiten viel het niet.

In de verte snerpte een ochtendtrein, langdurig. Die had kennelijk moeite om op het rechte spoor te blijven, iets wat de beste kon overkomen.

Halverwege de wandeling naar zijn auto keek Frank om; maar het meer was weer stilstaand water geworden en gaf niets prijs, en op enige afstand deed niets zelfs maar vermoeden dat er ook maar iets was veranderd.

Het terrein was plaatselijk dermate moeilijk toegankelijk dat je zo ongeveer over water moest kunnen lopen, wilde je er belanden; en die eigenschap, wist Frank, was maar weinigen gegeven.

Terwijl Frank terugreed naar Saint-Thomé wist hij wat hem te doen stond en dat hij nog wat tijd nodig had, maar ook dat hij zich niet zou hoeven haasten.

Vlak voor Saint-Thomé zag hij een auto rijden met

een kano op het dak. Niets aan de hand; en toch begreep Frank dat hij niet ongestraft zo kon blijven doorgaan. Vroeg of laat zou hij in de gaten lopen.

Zo'n drie kwartier nadat hij bij het meer was vertrokken, parkeerde Frank zijn auto op het achterterrein van de vakantiewoning en liep naar binnen, de keuken in. Gewoontegetrouw waste hij eerst grondig zijn handen en maakte zorgvuldig zijn nagels schoon, zette daarna koffie en dronk deze in de keuken op terwijl hij naar buiten keek en het uitzicht in zich opnam, de wijngaarden en de zomerbossen en de berghelling recht tegenover hem, een uitzicht dat hij niet spoedig opnieuw zou zien. De bestelwagen schitterde door afwezigheid.

De rest van de ochtend besteedde hij aan het uitwissen van eventuele sporen. Hij checkte de kofferbak van zijn auto, waar afgezien van de spullen onderin die een vakantieganger normaal gesproken niet bij zich heeft niets aan te ontdekken viel, en ging voor de zoveelste keer de kelders van het bijgebouw na.

Daarna liep hij naar boven, naar de badkamer, en nam een douche.

Toen hij er honderd procent zeker van was dat niets in en rond de boerderij of zijn auto hem in verband kon brengen met een mogelijke vondst bij het meer, nog niet de miniemste of geringste aanwijzing, trok hij aan het begin van de middag de deur van de vakantiewoning achter zich dicht, legde de sleutels zoals hij eerder deze week met de beheerder van het huis telefonisch had afgesproken onder de zware siervaas in de loggia, en liep naar zijn auto.

De boerderij en het terrein eromheen zagen er opgeruimder uit dan Nicole en hij ze bij aankomst hadden aangetroffen. De eigenaar van de vakantiewoning mocht in
zijn handen knijpen met een huurder als Frank Versteeghe.
Nu restte hem uitsluitend de reparatie van het dak. Waren er maar meer huurders als hij, dacht Frank; dat zou
een eigenaar heel wat werkzaamheden uit handen nemen, en zorgen en kosten besparen.

Even overwoog Frank om Nicole te bellen; maar zij
verwachtte hem op zijn vroegst pas zaterdagavond terug,
dus dat had geen haast. Dat kon altijd nog.

Ook in het motel 's avonds, op een bedrijfsterrein buiten
Dijon, belde Frank haar niet.

Hij had wel iets anders aan zijn hoofd. De grond in
Frankrijk werd hem langzamerhand te heet onder de
voeten. Voor zover hij kon weten, had niemand hem gezien; maar helemaal gerust erop was hij niet, en hij moest
het zekere voor het onzekere nemen. Het was beter om
zijn werkterrein te verleggen, besefte Frank. Hij zou zijn
heil elders moeten zoeken, in een van de omringende
landen, Portugal, Spanje, of Duitsland misschien, waar
hij niet snel in de gaten liep, nieuw en onontgonnen terrein: zo bleef hij buiten schot.

Een ogenblik moest hij aan Van Halsteren denken; die
had hij een tijd niet gezien. Maar lang stond Frank niet
bij hem stil. Mocht deze zich al in de buurt bevinden dan
zou hij zich niet kenbaar maken, mocht Frank aannemen.

Hij liep naar de badkamer en nam opnieuw een douche, hoewel daar geen noodzaak toe was. Toch deed het hem goed, merkte Frank toen hij, nadat hij zich had afgedroogd, de slaapkamer in liep.

Hij begon bijna naar een nieuwe vakantieperiode uit te zien en er zelfs naar te verlangen, en voelde zich minder moe dan hij had verwacht na de gebeurtenissen van de voorbije dagen.

Hij zette de tv aan, zapte langs een paar Franse zenders en zette het toestel op stand-by. Daarna ging hij op de rand van het bed zitten, herschikte zijn kleren voor morgen op de motelsprei, en schikte ze toen opnieuw.

Hij had goed nieuws bij zijn terugkeer voor Nicole, nieuws waar hij haar een plezier mee zou doen. Ze zouden volgend jaar niet naar Frankrijk op vakantie gaan, dat sloegen ze een jaartje over, zou hij haar voorhouden. Zo bijzonder was het nou ook weer niet, was hij met haar eens, dat je het gevoel had dat je heel wat in je leven miste als je er onverhoopt eens een poosje niet heen ging, toch? Dat had ze zelf meermalen met klem betoogd, en dat was hij bij nader inzien met haar eens. De wereld was gelukkig een stuk groter dan Parijs of Nice of Cannes en omstreken, goddank. Bovendien, het liep niet weg, dat hele Frankrijk.

Hij hoorde het zichzelf zeggen bij thuiskomst in Den Haag, en verheugde zich op Nicoles verwonderde gezicht. Hoogste tijd voor een nieuwe vakantiebestemming. Altijd en eeuwig datzelfde Frankrijk. Hij was zijn ouders niet.

Toen hij de volgende ochtend tegen elven de grens met

Luxemburg passeerde was Frank Versteeghe ongrijpbaar, en onachterhaalbaar.

Het was niet bijzonder druk op de weg.

Zacht trommelde hij met zijn vingers op het stuur, en liet het stuur toen los. Tot nu toe was hij overal mee weggekomen en dat zou hem ook ditmaal lukken, meende Frank, daartoe hoefde je niet over voorspellende gaven te beschikken. En hij ontspande en besloot het rustig aan te doen, hij had immers alle tijd, en nam, in plaats van door te rijden via de grote weg, de eerste de beste afslag die hij tegenkwam en belandde op een provinciale weg. Waar zou die hem brengen, deze vrijdag?

De lucht voor hem en om hem heen was lichtblauw; alsof een kind met waterverf in de weer was geweest, want helemaal dekkend aangebracht was het blauw niet.

Nicole, dat kwam morgen wel. Morgen was vroeg genoeg.

Een woord van dank aan Suzanne Holtzer, die me bij de hand nam en mijn hand gelukkig niet meer losliet.

Voorts dank aan Mariska en Aafke voor bewezen diensten beyond the call of duty.

Bedankt Sjoerd van Faassen, Marijke Buitenhuis, Saartje Schwachöfer.

En dank aan Sebas, Mau, Yolanda en Storm, die me zo ongeveer bedolven onder hun opbouwende kritiek; en aan Splinter die keer op keer hond Bril uitliet zodat zijn vader ongestoord kon schrijven.

Dank aan Anton Corbijn, die vanaf Dag Een vertrouwen in me had, en behield.

En dank aan Martin Bril, die me aan het werk zette.